LE SERPENT D'ÉTOILES

Jean Giono, est né en 1895 à Manosque (Basses-Alpes) qu'il n'a pas quitté depuis. Il a été employé de banque pendant 17 ans avant de se consacrer à la littérature. Membre de l'Académie Goncourt depuis 1954.

La nuit étoilée qui baigne la pastorale des bergers... La terre, maternelle et dure, et, plus que tout : les bêtes, intermédiaires entre l'homme et la nature...
Malheur à celui qui les méprise!
L'auteur, avec son enthousiasme lyrique, nous décrira le grand piétinement du troupeau en révolte, et son triomphe sur celui qui les a méconnues...

ŒUVRES DE JEAN GIONO

chez Bernard Grasset :

PRÉSENTATION DE PAN (Les amis des Cahiers Verts).
PAN I : COLLINE
PAN II : UN DE BAUMUGNES
PAN III : REGAIN
NAISSANCE DE L'ODYSSÉE
JEAN LE BLEU
LE SERPENT D'ÉTOILES
QUE MA JOIE DEMEURE
LES VRAIES RICHESSES
(Ed. illustrée de 112 photographies de Kardas).
LES VRAIES RICHESSES (Ed. courante).
TRIOMPHE DE LA VIE (supplément aux Vraies Richesses).
PRÉCISIONS
LETTRES AUX PAYSANS SUR LA PAUVRETÉ ET LA PAIX
MORT D'UN PERSONNAGE

Parus dans Le Livre de Poche :

LES AMES FORTES
REGAIN
QUE MA JOIE DEMEURE
COLLINE
LE MOULIN DE POLOGNE
UN DE BAUMUGNES

JEAN GIONO

Le serpent d'étoiles

BERNARD GRASSET

AU PROFESSEUR
EDUARD WECHSSLER

Votre œuvre peut-elle faire vis-à-vis à la pleine campagne et au bord de la mer?

WALT WHITMAN.

I

Tout est venu de Césaire Escoffier. Tout est venu de ce jour de mai : le ciel était lisse comme une pierre de lavoir; le mistral y écrasait du bleu à pleine main; le soleil giclait de tous les côtés; les choses n'avaient plus d'ombre, le mystère était là, contre la peau; ce vent de perdition arrachait les mots aux lèvres et les emportait dans les autres mondes. Malgré tout ça, « on faisait foire ». On ne peut guère abandonner une foire de mai : si la pluie menace, on prend le parapluie en bandoulière. S'il fait ce vent, on se jette là-dedans à la nage, on patauge à moulin de bras, on gueule des prix, on vit tout le jour les yeux fermés, les oreilles rompues, comme dans une mer, mais, quand même on fait les affaires et, le soir, à l'abri des murs, on ouvre les paupières brûlées par le sel et le vent : le sac des sous, comme une chose arrachée à un fond marin est plein de débris d'herbe et de sable.

C'était au temps où je recherchais les bergers. Je les trouvais d'ordinaire près du marchand de couvertures à s'acheter tout ce qu'il faut pour la vie des plateaux. Cette fois-là, je ne trouvais pas la voiture à foulards et le taillandier me dit :

« Il n'est pas venu. Il a pris froid aux passes de la montagne. On était ensemble à la foire de Laragne; on est parti au franc de la nuit; ça a été fait en un rien de temps. « On dirait que je respire des couteaux », il me disait. Il est là-haut à l'auberge de la route *Au Panier des Filles,* vous savez? »

Ça me coupait bras et jambes! Plus de bergers! Plus de foire pour cette fois! Moi qui comptais sur aujourd'hui pour savoir peut-être la suite de cette épopée « des chênes-verts »! J'en étais comme en rêve et sans penser; je tirai vers ces ruelles d'abris : l'Observantine et l'Aubette où le vent fait des lacs plus paisibles.

Là, le chèvrefeuille des maisons bougeait

à peine, des flaques de silence et d'ombre dormaient dans la courbe des murs. C'était de plain-pied l'au-delà du vent : un pays où il faut toujours se méfier.

Au bout d'un peu, dans ce golfe, entre l'épicerie et la maison du capitaine de bateau, je vis luire sur le pavé comme un ruisseau de petites étoiles. C'était sous une grande treille de roses. Je me laissais m'habituer à l'ombre; le frais et la paix de la rue coulaient dans mon œil ouvert comme la bonne eau noire du sommeil; je vis, à mes pieds, tout un troupeau de poteries luisantes et le potier me regardait.

Il y avait des jarres à olives, des pots à tisane, des gargoulettes et une grande panse d'argile noire, suante d'eau, à l'usage de l'homme. Il venait de boire. Il s'essuyait la moustache. Il était aussi en argile.

De tous côtés le jour sournois; et le mistral secoue le ciel comme une tôle.

Au milieu des poteries, dans un carré délimité par des cordons de laine rouge, il y avait, rangés en ordre sur trois rangs, des petits pots pansus, luttés de papier journal. Je pensais au miel des collines et je dis à l'homme :

« Vous devriez me donner un de ceux-là.

— Vous êtes amoureux? » il demanda en réponse.

C'était arrivé sur moi en même temps qu'un bleu regard mou et liant comme une herbe de fond d'eau, et le soudain mystère du jour pur d'ombres.

Dire oui? Dire non? Pour trouver la vérité là-dedans!

J'expliquai :

« Je suis marié et alors... »

Il demanda :

« Votre femme est malade? »

Je dis « non » à la précipitée, car je venais de comprendre subitement. Tout m'obligeait à comprendre : la ruelle sonnante comme une grosse flûte, ce soleil délayé, ce ciel si épais qu'il bavait sa couleur sur le contour des maisons, cette argile d'homme douée de parole : c'étaient des charmes!

On fit une bonne amitié à la saine, non

pas devant le verre d'anis chez le *Café de la Boscotte* mais comme ça, sans bouger de nos places, lui là-bas, moi ici de l'autre côté des pots et nos regards s'en allaient échangés avec de plus en plus de son bleu et de mon bleu d'amitié.

A la fin, il enjamba toute son argile muette, il vint me donner sa main en racine d'arbre, toute râpeuse; il dit :

« Si vous avez le temps, venez me voir. D'après ce que vous avez été sur le point de dire, on doit s'entendre tout du long de nos raisons. Mon nom c'est Césaire Escoffier. »

*

Il m'avait bien expliqué qu'il habitait Saint-Martin-l'Eau, qu'il fallait d'abord aller au village puis prendre à gauche après l'aire où sont tous les rouleaux à blé, puis monter à l'échine du jas Berre, puis traverser le bois de pins, puis chercher dans la colline la blessure toute saignante de sa carrière d'argile : quand j'arrivais dans la bousculade des collines, mon cœur fit doucement un petit plongeon. Des vagues de terre et de l'écume d'arbre à la perte de la vue! Un gros lierre accroupi dans un creux de combe rongeait les os décharnés d'une ferme morte : il balançait sa lourde tête, il jetait ses suçons verts dans l'herbe, il s'en allait à lent désir, tout lourd de rameaux et de feuilles noires vers une gémissante bergerie. La terre était griffée de grandes griffes; à d'autres endroits tannée et piétinée comme un sol de bauge, mais sur du large et la longueur, elle gardait le vautre de quelque bête plus épaisse que le ciel. A part ça même, on ne voyait pas d'oiseaux; on n'entendait pas couiner les rats de buissons ni ce bruit de source que font les grands serpents quand ils coulent tout endormis dans l'herbe; il n'y avait que la vie des sèves, mais tout ça, si chaud de vie qu'on sentait la féroce brûlure rien qu'à toucher le tigeon léger d'un chèvrefeuille.

J'ai l'habitude, mais je restai devant ça un bon moment, nu et froid. Enfin, je pris l'audace, je descendis dans le bouillonnement des arbres. Le midi me trouva égaré et la gorge en feu dans cette prison vallonnée qui fait le fond du grand cratère. D'où se tourner quand, à chaque pas, un geste d'arbre gronde derrière vous? Trois fois déjà, écartant les bras de pommiers fous j'avais vu, derrière, le mur droit du rocher. Le soleil avait pompé tout mon humide, j'étais sec comme du bois mort à entendre craquer ma peau, ma cervelle faisait la roue toute rouge dans le noir de ma tête, quand vint un petit flûtis à trois tons, tout humain, tout bien humain, si humain qu'avec le reste de mon humide je hurlai un « Oh! » plein d'espérance. La flûte se tut. Au bout d'un moment elle flûta plus loin, vers les osiers d'un abreuvoir abandonné. J'y allai : personne! Une eau seule qui bondissait en saccades hors du canon de bois; une eau lourde à odeur de soufre, une eau si chargée de terre qu'elle avait empli son bassin d'une boue jaune et qu'elle débordait par là-dessus.

La flûte sonna sous les pins. Je trouvai dans sa direction un pertuis entre deux roches; en luttant à la désespérée avec les serpents d'un sureau, je passai. Des graines étaient dans mes poils, des morceaux de fleurs dans mes cheveux; une grande feuille gluante s'était collée sur ma joue. Mais, d'émerger ainsi quand on n'y compte plus, le courage vous revient vite. Le sentier se trouva sous mon pied; la flûte sonnait là-devant comme le grelot d'un chien de chasse. Je marchai, des arbres s'écartaient de ma route, des herbes étaient fraîches contre mes jambes et, tout d'un coup, je vis, là-haut, dans la colline, une profonde blessure sombre d'où saignait l'argile.

« Et alors, il me cria en me voyant arriver, vous venez par les fonds? On dirait un homme-plante. Vous en avez des idées, vous! »

Il m'attendait dessus son aire, et, le dernier pas, je le fis, attiré par sa grande main qui avait saisi la mienne. Il me donna la cruche à deux canons; je me refis un bon humide tant du dedans que du dehors en pompant l'eau à pleine gueule, en m'arrosant toute la poitrine du rais clair; après ça, je sentis un air de vent, tout se mit en ordre dans ma tête et il me sembla que j'étais encore le maître.

Autant dire aussitôt tout l'étrange de cette habitation. En colline, un fil d'eau c'est la vie. Elle le sait tellement qu'elle reste là aride et sèche, sans bouger, confiante dans ses vieilles forces, dans sa terre brûlante, dans son air boueux comme des flammes où explosent silencieusement les larges illusions du mirage. Un fil d'eau sous la narine et on est sauvé. Moi je venais d'avoir la main de l'eau tout entière en caresse sur moi; elle était là encore à frisotter mes poils dans ses doigts frais; j'étais redevenu le maître de mon corps quand, avant de suivre Césaire qui me disait : « Venez à l'atelier », je fis passer le regard sur tout l'alentour, depuis le fond lointain du ciel jusqu'à l'épaisse prairie persillée qui gardait l'eau de source pliée dans ses feuilles.

Dessous nous le maquis, comme un marais avec sa lourde odeur d'herbe pourrie, s'en allait en bouillonnant jusqu'à s'appuyer là-bas contre l'horizon de fer bleu. Cette pointe de colline émergeait en îlot; une grande caverne sanglante et noire comme un trou dans de la chair vive était ici la maison d'Escoffier.

Dedans, contre le jour du seuil, deux tours étaient plantés : un grand à usage d'homme, un petit à je ne savais quel usage, tant mignonnet qu'il faisait songer aussitôt à un léger corps fait d'air et de pensée. Sur la planche, un de ces petits pots sorciers était encore.

« Vous savez, il me dit, elle était en train d'en faire.

— Qui, elle? » je fis, les yeux agrandis et n'osant plus bouger mes pieds de peur de l'écraser celle-là.

« Ma fille, l'aînée, la rousse. C'est elle qui a tout inventé. Voilà : je crois que c'est venu d'un rêve qu'elle a eu. Elle s'est mise à tourner ça du creux de son pouce. L'institutrice m'a dit : « Elle ne fait rien, elle « bâille si je parle, elle est là comme tirée « d'un autre monde et comme si elle regardait « encore cet autre monde par un petit trou. « Elle a l'œil tout vide, votre fille. » Alors, moi j'ai dit : « Bon, elle restera à la maison »;

c'est vrai, elle a un œil de chèvre. On s'est expliqué avec elle, un beau soir. On s'était couché sous les pins; je l'avais prise contre moi, sa tête au creux de mon bras, elle, toute allongée contre mon velours. Elle m'a dit : Papa! » J'ai dit : « Oui, ma fille! »

« Mais je vous garde là tout debout et vous venez de marcher. Asseyez-vous, on va attendre que la sueur vous passe puis je vous ferai connaître la famille. Vous restez avec nous ce soir, on a de quoi vous coucher. Ça ne vous fait rien de coucher dans la terre? »

On était là sur le banc de devant, un peu de soir commençait à sourdre d'entre les bois, et déjà son eau calme, balancée dans le fond du cratère engloutissait les chênes-verts. La terre soupira un long soupir si doux, si calme qu'à peine deux ou trois tourbillons d'oiseaux s'élevèrent. Les hirondelles sauvages s'appelaient; toutes ensemble elles plongeaient du haut du ciel vers nos deux visages d'hommes. C'étaient comme des débris de bois mort dans une grande torsade d'eau. L'océan du ciel roulait au-dessus de nous la vie paisible de ses vagues. On était là dans son fond dans cette grande saumure de la vie totale aux sources mêmes de la vérité dans cette épaisse boue de vie qu'est le mélange des hommes, des bêtes, des arbres et de la pierre. Sous la paume de ma main je sentais battre les pulsations lentes du granit, j'entendais les charrois des ruisseaux de sève; mon sang battait à coups sourds dans ma tête et, venues des confins du ciel, des forces froides et chaudes passaient contre mes joues comme des jets de pierre.

Le soleil restait encore perché comme un pigeon sur notre cime de colline. Cette prairie qui gardait la source s'étendait plus loin que les eaux. De cette herbe où elle faisait la sieste, la madame de la poterie, au flux du vent se dressa.

« Ma femme », dit Césaire.

Elle était blanche et molle, et grasse, et toute en graisse, et bien en graisse, si molle qu'on s'attendait à voir soudain ses bras couler dans le canon de ses manches comme du mortier de plâtre. Sa belle tête ronde et pleine riait du rire éternel de la lune; ses beaux cheveux noirs bien peignés, lissés d'huile pure, sentaient l'olive et le fenouil; ses yeux étaient larges comme des amandes vertes. Elle se dressa. D'elle aussitôt se mirent à couler un, deux, trois, quatre, cinq enfants, en jet de graines, en gouttes de source. Elle fut soudain là, dans l'herbe comme une source ruisselante d'enfants et, d'elle, en dernier sortit, frêle, rousse, laiteuse et salée comme un matin d'avril, la jeune sorcière aux yeux de gentiane.

Les gestes étaient là, d'une naturelle simplicité. On fit un repas d'herbe et de nuit. On avait posé au rebord de l'aire un grand plat plein de cette saladelle des collines, bien pâle, choisie à l'ombre et qui grouillait, luisante d'huile comme un nid d'araignées vertes. On allait là-dedans avec les doigts, chacun à son tour; on était tous en rond, avec le plat au milieu; une large assise de pain étalée à pleine main gauche servait d'assiette et de serviette, et quand ce pain avait bien pompé des gouttes d'huile, bien essuyé le doigt, on le mangeait, et il avait le goût d'un après-midi de moisson.

La nuit, on la mâchait avec la salade; la nuit, elle déborda du cratère en lents bouillons, et c'était plein de nuit dans les bouches quand on entama les quignons frottés d'ail. On avait donc ces herbes à manger, puis la nuit — et c'était une nuit du maquis, puis, les étranges regards jaunes de la sorcière de quatorze ans. Tout cela donnait la pâture au ventre et à la cervelle; je ne sais pas si la cervelle avait bien son compte séparé; je crois plutôt que tout : salade, huile, pain noir, nuit et regards de gentiane, tout descendait dans le ventre, tout y faisait de la chaleur et du poids, tout s'y changeait en sucs et en effluves, si bien qu'on était, à la fin, ivre de la triple force du ciel, de la terre et de la vérité.

Déjà deux fois j'avais entendu ce son de clarine, une fois vers la pinède qui dormait en grognant comme un chien de berger; l'autre fois, vers ce rocher blanc accroupi, liquide comme une belette qui marche, et maintenant je l'entendais encore et je regardais une grosse étoile rouge.

« Nous aurons le berger, dit Escoffier, femme, mets de l'eau d'hysope à rafraîchir. »

On avait étendu la litière des enfants : une craquante épaisseur d'herbes sèches; ils étaient là-dessus tout nus, à se vautrer, à s'emmêler des bras et des jambes, à se claquer les fesses, à se gratter les ventres, et, sous le poids de leurs gestes, jaillissaient des odeurs de sariette et de citronnelle. Je les entendais dire :

« Nous n'avons pas tué le lion!

— Pauvre! Laisse-le dormir un peu avant.

— Il fait soleil.

— C'est le soleil de la pluie.

— Il n'y en a qu'un de soleil.

— Il y a le soleil de droite et le soleil de gauche. »

Et le berger arriva en même temps que la lune. Non, la lune était arrivée la première. Elle était là, à dépasser lentement la rondeur de la colline d'en face, quand le berger sortit sans bruit des basses combes et il effaça la lune avec son grand corps.

« Compagnie, Césaire et tout le monde, il dit, et alors, ça va, la santé?

— Ça va, dit Césaire, alors, tu vois, on est au bel air. »

Tout à l'heure, la jeune sorcière s'était dévêtue en même temps que ses frères et sœurs; j'avais entendu claquer des boutons-pressions, puis elle s'était dépouillée de sa robe comme d'une écorce, la rejetant des épaules, la secouant du bout des bras, détachant ses jambes une après l'autre de la chose tombée. Elle cria de là-bas :

« Oh! berger. »

Puis elle vint, sans vergogne des hommes, et autant qu'on pouvait voir, lisse de tout son corps comme une pierre d'eau.

On était là, au bord de l'aire, sur une plage de la lune. Le saladier vide sonnait sous la carapace d'un gros scarabée de nuit affronté du gros front et des pattes folles contre la glissante courbure de la faïence. On s'entendait respirer. Le vent était chaud, puis frais, selon qu'il apportait au creux de sa main cet air rond du fond des combes ou cet air plat comme un couteau aiguisé aux meules des landes hautes. Chaque fois que l'armure du scarabée sonnait dans le saladier vide, la madame de la poterie avait un long regard de ses yeux d'amande vers sa fille nue, puis vers Césaire et le berger, et je voyais sa bouche blanche qui s'essayait à des mots silencieux. Le berger, un homme d'une cinquantaine d'années, gros de gros os, sans grande chair, sans rien qu'une sèche peau cuite sur des muscles cuits, un homme de colline, fait de soleil, de poussière et de feuilles mortes, le berger, durement assis, face à la nuit s'amusait des doigts sur une grosse flûte à neuf canons; il y pianotait un petit air en griffant les tuyaux sensibles du bout de l'ongle.

Tout ça était dur; autant Césaire que le berger, que la petite fille savante; on les sentait, à gros ballons, pleins d'un vin épais. Aussi, le débond de la madame ne se fit qu'après m'avoir regardé; j'étais plus simple et plus fragile qu'une scabieuse, moi ici; tous les vents me battaient et je venais d'entendre rouler dans ce silence les épais graviers du ciel quand elle dit :

« Et vous, l'homme, vous saurez coucher au lit d'herbes dans notre maison de la terre? »

Je dis oui, tout éperdu, puis :

« Oui, ça ne sera pas la première fois; je suis souvent comme ça. Et j'aime cette fraîcheur de la caverne, et ce chaud qu'on a, sur le matin, et puis, Césaire, berger, ne nous faisons pas plus gros que ce que nous sommes, c'est notre vraie maison, ça, au fond. »

Peu à peu revenaient en moi l'équilibre et l'aise. Je n'avais qu'à montrer mon cœur à ces femmes et j'étais sûr d'être aimé, et j'étais sûr de comprendre toutes leurs pensées, d'être à la source de leurs réflexions, d'être eux-mêmes, ni plus gras, ni moins gras, d'être avec eux et n'émergeant pas plus qu'eux de l'herbe, des bêtes saines parmi les herbes et les bêtes.

« Oui, dit la dame, mais, Césaire, ne le mets pas près de la racine.

— Quelle racine, je dis, et comment une racine?

— Une racine d'arbre, dit la dame, une racine blanche. Elle est là au bombé de la terre comme du lait qui coule, mais elle est dure et d'un mauvais vouloir, vous ne pouvez imaginer. Et c'est sournois, et c'est de force impossible à savoir, et une fois c'est venu s'enrouler autour de mon pied et ça allait me tirer au fond de la terre.

— Tu es encore là avec ta racine », dit Césaire, la voix lente et juste au détourné de la tête, puis il s'en alla encore dans la nuit sur les belles ailes de son regard.

La jeune sorcière s'est entouré les reins avec sa robe molle. Le berger bourdonne doucement de la bouche comme une source. Les enfants se sont endormis; on les entend dormir, et la lune est là, sur le tas montueux des enfants nus.

« Laisse-moi, Césaire, laisse-moi dire. De l'autre côté de la cloison, quand on était à l'auberge de Lincel, tu te souviens, Césaire, une maison de dessus terre; il y avait deux charbonniers du bois : l'homme et une femme qui était sa femme. On les entendait vivre. De l'autre côté de la cloison, c'était un bloc de jour ou un bloc de nuit et de vie d'homme. On l'entendait, lui, quand il la claquait à moulin de bras sur tout ça qui n'était qu'os et peau et qui sonnait à baril creux. « Ah! « doux Jésus, elle disait, il me tuera, ce « sauvage! » Au bout d'un peu, elle riait et ils se mettaient à se lutiner avec tant de gueule que je disais à celle-là... (elle montrait la jeune rousse) : « Dors, ferme les yeux, ça « ne te regarde pas ce qu'ils font. »

« Et puis, ils ronflaient, et c'était simple à l'imaginée, et pas besoin d'avoir peur. Voilà : au matin, l'homme marcherait sur la route delin-delon, en balançant sa lanterne à carbure, en sifflant cette chanson du Piémont qu'aux premières notes je te disais : « Césaire, réveille-toi, il siffle, écoute si c'est « beau. » Et la femme, c'était simple à imaginer aussi : elle descendrait l'escalier vers l'heure où moi je serais assise près de la fontaine à me peigner; elle descendrait l'escalier, lourde d'un gros paquet de linge sale dans ses pleins bras, et elle s'arrêterait de temps en temps pour rempiéter sa soque qui glisse et elle viendrait jeter tout ça au bassin du lavoir, et puis en se redressant, elle dirait : « Ouf! ça y est, voilà de quoi faire aujour- « d'hui. » Oui, de ce qui est d'humanité, moi j'imagine, et j'aime assez m'en aller dans ces vies qui ne sont pas à moi et puis de les suivre un moment, et puis de les quitter au moment où ça devient pénible, et de revenir dans la vie de mon corps qui est ce qu'elle est, mais qui est mienne. J'aime assez et alors je n'ai pas besoin de peur. Mais, pour ce qui est de ce qui se passe derrière les cloisons de la terre je n'aime pas, mais c'est plus fort que moi, ça me tire, et ça me suce, et ça me boit. »

Elle s'arrête un moment pour lécher ses lèvres d'une grosse langue rapide.

« Ici, elle continue, on peut dire que j'ai le pain et le couteau, mais j'en aime l'amer, ça me fait saliver la cervelle, on dirait. J'ai été longtemps à écouter le son de la terre et j'étais toujours à l'écoute des voisins, mais ici, les voisins, c'est d'abord ces grands pins gris et puis ces beaux chênards épais comme hommes, humains de voix mais tant lourds d'une force qui a son temps à travers toute la longueur du temps qu'on se dit : « S'ils voulaient!... » Et d'abord, j'ai couché contre le mur de droite. Et là, tout par un coup, sitôt allongée sur mon lit, c'était un plongeon dans le sommeil comme le soufflé d'une bougie. Une chose qui soufflait ma vie tout par un coup. Un soir j'ai lutté contre la paupière : tu te baissais, je te lève, jusqu'à tenir mes paupières ouvertes avec le pointu de mes doigts. C'était un ronron chattement ronflé dans le grand gosier de la terre. Et moi j'allais dans ce bruit, à me dire : « C'est ça, ou ça, « ou bien c'est ça! » jusqu'au moment où j'ai vu la noire vie d'une source, j'ai dit : « Césaire, mon lit, je le fais là-bas, tu viendras « si tu veux, et si tu restes, on n'aura plus « d'enfants, parce que moi, je ne viendrai « plus de ce côté de gauche. Ma mère ne « m'a pas faite pour dormir à côté de la « source qui ne dort jamais. » Et Césaire est venu parce qu'il est obligé d'être contre de la chair de femme, de par sa nature. »

(Césaire est toujours dans la nuit; la madame se lèche les lèvres.)

« ... Là, un beau soir, j'entendais gratter depuis longtemps, ça a fait « toc », un morceau de terre tombe sur la couverture et du trou une longue racine blanche est sortie; depuis, elle a poussé, elle s'est tordue, retordue, heureusement, elle est aveugle, elle me cherche.

« Ce soir-là, c'était l'été, la grande porte donnait en plein sur la nuit. Celle-là est venue à côté de moi et elle a passé son petit bras autour de mon cou. C'était tout juste parce que j'ai le cou gros et que je pèse, et je lui disais : « Retire-toi, je te fais mal », mais elle restait contre moi et j'étais glacée de peur et elle était chaude comme un brasillon à me brûler la peau où elle était collée. Et elle m'a dit :

« — Mama, regarde la nuit, c'est plein
« d'étoiles qu'on sème tout juste. Qui c'est
« qui les sème? Qui c'est qui en a le sac
« tout plein? C'est des poignées et des poi-
« gnées qu'on jette; on dirait du riz, re-
« garde. »

« Elle a parlé tout continue, toute chaude de son chaud; et j'ai dormi dans son petit bras. »

C'était maintenant la nuit pleine. Mme Escoffier a la voix lente et lourde comme un mortier, comme le mortier de sa chair. Je l'ai revue voilà deux semaines à peine, quand j'ai pensé à tous les détours de cette nuit-là quand j'ai fait sauter dans mes mains ce gros fruit cueilli au bout de la route, j'ai été attiré vers la grotte d'argile et je suis revenu vers mes amis. On ne sait pas, à Lincel, à Saint-Martin-les-Eaux que cette grasse femme aux beaux enfants connaît les pays de derrière l'air. Quand elle s'en va faire ses commissions à Forcalquier, qu'elle discute l'aubergine, qu'elle tâte la fleur d'artichaut, on ne sait pas, on ne peut pas savoir qu'elle est savante de la grande science du ciel et de la terre, qu'elle connaît par le fin fond du secret le poids véritable de l'aubergine et l'âpre sang de l'artichaut.

C'était, à cette heure, la pleine nuit, l'épaisse nuit aux feuillages jamais taillés, la belle nuit claquante comme une voile, la nuit marine, et son flot roulait sur la plage des arbres, dans ces récifs des sommets de collines; l'écume de la lune crépitait doucement contre les rochers.

Césaire me saisit par le poignet et, sans y penser, il m'attirait à lui de belle force et je sentais la grande pince de ses doigts m'entrer dans la chair.

« Alors, il dit, brusque et entre ses dents, maintenant vous savez; maintenant, vous avez écouté la femme. Alors, on s'entend ou on ne s'entend pas?... »

J'eus, d'un seul coup, la tête pleine de tous ces émois devant l'arbre, de ce grand amour des écorces, de cette amitié avec les ramures et de cette peur aussi devant l'immobile ondoiement des végétaux de grande force, de tout ça qui, depuis ma jeunesse et mon premier pas en colline m'habitait, et je répondis du plein de la bouche :

« Oui, on s'entend, on était fait pour s'entendre; ça devait d'ailleurs être préparé depuis longtemps.

— En parlant de ça », dit la madame...

Mais le berger leva la main dans la lune et il commença à parler.

C'était, je l'ai dit, un homme sec et fait d'aggloméré de pierrailles; il parlait en craquement sombre : sa bouche s'ouvrait dans sa barbe et la parole sortait d'entre des dents toutes saines et glacées malgré son âge.

« Dans le rocher de Volx, il y a des aigles roux. Si on se couche dans l'herbe, ils viennent. Ils tournent là à la voile, là-dessus, puis ils plongent la pique en avant. L'ombre de l'aigle réveille. Ça passe frais sur les paupières si on dort et on se réveille. Voilà. On se réveille, même si on dort bien.

« Un jour, j'avais un chien; il était méchant comme un vent. Il ne savait pas ce qu'il faisait comme un vent. Il passait sur tout, là, brutal, toutes ses forces d'un côté. Il mâtait un bélier corse comme une charretée de foin. C'est des brebis tondues qui l'ont tué. Ça a fait une révolte. Elles l'ont étouffé, puis tué aux pieds. Puis elles sont venues me voir penaudes. J'ai dit : « Bon! »

« Une fois, j'en ai vu un, un homme, un enfant je veux dire — j'en ai vu un qui portait le poids du ciel. Il en tremblait de tout son dos et il beuglait comme un taureau parce qu'il ne savait pas parler, parce qu'il n'avait jamais su parler aux hommes. Et les oiseaux sont tous venus d'à travers les campas. Les oiseaux et toutes les bêtes, mais le premier jour ça n'a été que les oiseaux et, le premier jour, il avait un oiseau à la pointe de tous ses doigts.

« J'en ai connu un, un nommé Martial de Reillanne qui avait sur lui la malédiction de la bête. Ni les chiens, ni les chats, ni les chevaux, ni les moutons, ni rien; à l'odeur, tout ça devenait fou. Il a voulu faire l'expérience. Il a acheté un cheval à la foire de Mane. C'est la femme qui a mené le cheval; l'homme marchait cent mètres derrière et encore, quand la femme touchait le bridon de la main gauche, le cavalo haussait la babine et claquait de la dent sur le mors. Ça venait que de cette main gauche, la femme touchait le mari, la nuit. Cheval à l'étable, le Martial dit : « Il faut que je voie, c'est peut-être ce « gilet que je porte. » Il quitte le gilet. De là à là, il quitte la ceinture, la braïe, le soulier; il se met nu; il dit : « Des fois!... « Comme ça on verra bien. » Rien n'y fait.

Il est entré nu dans l'écurie; le cheval s'est cassé les pieds à ruer contre un mur de pierre. Tout mourait à la dégoûtée : poules, canards, lapins. Ça s'enfonçait avec les heures de sa vie. Un jour, il sort du café, un pigeon passe sur sa tête, bat des ailes et roule mort. Il a regardé l'oiseau, il a dit : « Bon », il est allé chercher une corde et il s'est pendu. Il a traversé tout le village avec sa corde; on l'a laissé faire.

« Il y a les arbres, il y a la bête. Moi j'ai été petit baille, petit chef, petit berger. Deux cents moutons. Mon patron habitait Raphèle. Deux cents moutons ça fait du chaud, à peine pour comprendre.

« Il y a les grands chefs, il y a les grands bergers. Les chefs de dix mille bêtes, de cent mille bêtes, les chefs qui ouvrent la porte, disent seulement un mot dans le noir de chaque bergerie. On a écarté les grands bois du portail, les journaliers sont là en haie de chaque bord. Et le chef a dit le mot, un seul, pas plus, puis il tourne le dos, croche bien sa main sur le bâton et il s'en va, et les moutons sortent, et les moutons marchent derrière lui; c'est comme une ceinture qu'il aurait attachée à ses flancs et qu'il déroulerait sur le pays. Il marche là-bas devant; il s'en va; il tire les moutons. Ils prennent le pas, ils marchent. Lui il est déjà là-bas au fond, à avoir traversé deux ou trois villages, deux ou trois bois, deux ou trois collines. Il est comme l'aiguille et toute l'aiguillée de moutons passe où il a passé; elle traverse les villages, les bois, les collines derrière lui. Ici, les moutons sortent toujours de l'étable. Dix mille, cent mille, ça tient du large. Au fur et à mesure, les aides qui sont là avec les journaliers disent « au revoir, c'est mon tour », et un après l'autre, ils s'en vont. Le dernier mouton sort, on ferme l'étable. Il sort de la cour, on ferme le grand portail. On ne regarde pas : c'est un mystère. Par-dessus le mur, la poussière fume. On écoute ce bruit de grand ruisseau, de grand troupeau, ce bruit de monde, ce bruit de ciel, ce bruit d'étoiles. C'est un mystère. Le patron enlève son chapeau, gratte sa tête. Il se sent petit avec tous ses actes de papier en pension chez le notaire. Ce n'est que ça qui fait le chef. Il pense à l'aiguille qui tire la longue aiguillée des moutons. Il dit : « Venez, on va boire le « coup », et tout le monde entre dans la cuisine.

« Ça, c'est les grands chefs des bêtes; ceux-là savent. »

Ainsi avait marché la nuit et maintenant je la sentais tout humide, collée contre la boule de la terre comme un drap sorti du lavoir. La lune avait pris sa pleine vitesse; une petite écume de nuage bouillonnait sous son poids enfoncé. Je me souvenais de mon énorme jeunesse, de ce temps où, par quelque divination, on m'avait livré aux grandes forces, en confiance, en disant : « Tiens, voilà l'enfant. » Je comprenais maintenant ce grand regard bleu de mon père quand, au retour de ces mois d'été où j'avais suivi le berger Massot, blême de la verdeur des herbes et tout giclant de parfum de fenouil, j'entrais dans l'échoppe où il était resté accroupi. Ça n'était donc pas la santé des chairs qu'il palpait en moi quand, me saisissant aux épaules, il me plantait devant lui pour le regard, avant de m'embrasser. C'était la santé d'esprit. « Et, maintenant, tu sais, fiston? »

Ainsi avait marché la nuit. On était sur les toits du monde.

Césaire respira les quatre coins du ciel.

« Il fait du vent, il dit, il fait notre vent, berger. On va pouvoir jouer. »

Au vif de la lune, dans ce rond d'herbe courte que le bois embrassait, un beau pin lyre dressait ses deux troncs.

Comme on approchait, l'arbre se mit à chanter d'une voix qui était à la fois humaine et végétale. Je vis qu'on avait asservi les deux cornes de l'arbre par la traversière d'un joug creux; on avait tendu neuf cordes du joug au pied de l'arbre : ainsi, il était devenu une lyre vivante, à la fois de l'ample vie du vent, de la sourde vie des troncs gonflés de résine et de la vie toute saignante de l'homme.

Le berger toucha les cordes pour en doser la force. On entendait tomber ces sons, en bas dessous, en plein maquis, et les feuillages grondaient comme sous les larges gouttes d'un orage. Enfin, le berger s'adossa au grand tronc recourbé, il étala ses mains au plein des cordes et il attendit le vent.

On l'entendait : au-delà des vallées, les larges plateaux sifflaient déjà sous lui comme du fer qu'on trempe; il arriva.

Il arriva et, tout aussitôt, du haut du palier de la colline s'élança le chant aux trois vies. L'arbre tout entier vibrait jusque dans ses racines et du large emplein de ses doigts l'homme serrait les rênes au beau cheval volant : tout le ciel ruisselait au travers de la lyre. Alors, une grêle d'oiseaux tomba de la nuit et, comme des pierres en marche, les moutons se mirent à monter à travers le bois.

Ils sortaient doucement de la barrière des arbres. Ils venaient, pas à pas, un par un, sans bruit. Ils étaient là, tête basse, à écouter, et la corne des béliers traînait dans l'herbe, et l'agneau tout tremblant se cachait sous le ventre de la brebis.

Sans bruit!

Parfois seulement, au fond de l'herbe, les bêtes soupiraient toutes ensemble. Les collines faisaient silence. L'homme donnait une voix à la joie et à la tristesse du monde.

II

La prison de quatre murs et tout un cimetière de livres, mais, parfois, ces murs s'écartaient, s'ouvraient comme une grosse fleur et un déluge de ciel s'abattait là-dedans en bousculade.

Quand on emporte avec soi les mots « chefs de bêtes » et la sourde musique du pin-lyre, on n'est plus l'homme d'avant, on a fait un pas vers les pays de derrière l'air, on est déjà derrière l'air; le monde ordinaire passe juste contre votre dos, devant vous s'ouvre la large plaine des nuages et toute votre peau se gonfle sous la succion des terres inconnues.

Je me souvenais toujours de cette fin de

nuit. L'aube venait. Je le sus parce que les yeux des moutons s'étaient éteints tous ensemble. La lune s'enfonça sous l'ombre.

« Profitons des belles heures », dit Césaire.

Le vent tomba; la dernière note s'envola toute seule comme le pigeon de l'arche.

La madame ramassa la grappe d'enfants; elle l'emporta dans la caverne d'argile. La jeune sorcière réveilla son frère, le plus grand après elle et elle l'entraîna en le tirant par la main, lui, pesant tout en arrière, ballant de la tête aux yeux fermés, elle, sèche comme un os, avec les vives antennes de ses yeux jaunes.

Je dis :

« Je coucherai dehors avec le berger. »

Oui, j'avais peur de la racine et de cette source du fond de la terre. Le berger me prêta un manteau de bure serré du col, mais tout arrondi de robe et, plié là-dedans cette laine qui sentait le mulet et l'herbe grasse, j'allais m'endormir quand l'homme se pencha sur moi, au blanc du visage et me dit :

« Quand vous reviendrez, je vous conterai ce que j'ai fait le soir de la grande révolte. »

*

Vint l'environ de la Saint-Jean d'été. Le désir était toujours en moi comme un câprier : de belles fleurs, mais des épines et un goût de poivre à vous donner des salivades de fontaine. Las de la guerre qu'en moi-même tout cela se donnait, je pris mon bâton de colline. Ce geste seul était sorcier; c'était un geste-maître : une grande vague d'odeur déboula sur moi; le vent me prit par les épaules comme une voile de barque et je partis en navigation du côté de Saint-Martin-l'Eau.

Il faut tout d'abord dire qu'un tas de choses m'avait donné élan ce jour-là. Au matin, d'abord, j'entendis un grand troupeau qui abordait la ville par le sud et râpait les maisons à pleines rues. J'allais l'attendre aux fontaines. Les bergers avaient l'œil égaré; le baille s'en allait de tous les côtés comme une sauterelle donnant des ordres qu'à les entendre, on en restait assis, la bouche en rond. Seuls, les chiens allèrent s'étendre à l'ombre. On fit boire les moutons; on les contenta d'une petite pause debout, sans les laisser plier la patte, ni se coucher, puis « hop! » le baille siffla dans ses doigts et tout s'en alla avec son sommeil et sa peine.

Après ça, j'étais bien tranquille à ma fenêtre qui domine tout, et voilà : le pays entier fumait sous les pattes des moutons. Il en venait de Pertuis, il en venait de Valensole, de Pierrevert, de Corbières, de Sainte-Tulle, des têtes de troupeau se poussaient doucement sur les routes au plein feu du grand soleil. Déjà, au fond, la Durance était couchée dans un nuage de la terre plus épais que les nuages du ciel, et un bruit de fontaine qui a lâché ses eaux dansait sur le pays comme un grand serpent en écrasant tous les feuillages.

C'était la pleine époque de transhumance. Toutes ces bêtes sortaient de la Crau rouge où déjà le beau soleil écrasait tout.

Donc, en colline, dès midi, je mangeai mon pain à la source Turpine et je restai là une heure à regarder sauter les puces d'eau. Il y avait toujours dans le ciel ce bruit de bêtes en marche; ça sonnait sur les nuages comme sur une peau tendue; le bruit ne montait plus de la terre. Une brume grise qui était la poussière des champs et des routes courait sur le ciel à lents détors de beaux muscles épais. Le monde entier participait à l'émigration des bêtes. L'ordre en était venu de l'au-delà du ciel dans l'éclatant mystère du soleil. La marée montante des bêtes obéissait aux ordres du monde; j'étais rempli de ce grand bruit monotone comme une éponge dans un bassin. J'étais plus ce bruit que moi-même, des ruissellements de moutons descendaient le long de mes bras; je les entendais fourmiller dans les grands bois de mes cheveux; ils pesaient à donner du pied cornu sur l'emplein de ma poitrine; tout d'un coup, je sentis la vertigineuse rotation de la terre et je m'éveillai.

Déjà ce beau silence, déjà ce bord du soir, et la clarine du pauvre berger sonnait là-bas devant sous les genévriers bleus.

Il me laissa souffler près de lui, puis il me tendit sa cruche d'eau. Je vis qu'il avait là, lui aussi, sa maison naturelle, non pas celle du potier qui creuse la terre, puis la pétrit, savant des formes, mais reste là sans savoir quoi souffler comme esprit; celle du chef, celle du joueur de pin lyre, celle de l'initié qui écoute la parole des nuages et lit la grande écriture des étoiles : une hutte de branches toute pertuisée, aérienne, imbibée d'air.

Il me dit :

— J'avais quinze ans. Au plein de l'hiver, le maître avait tâté mes bras. Il avait dit : « Fais voir tes jambes. » J'avais relevé mes pantalons; il avait passé sa main sur mes jambes et essayé de faire bouger mon mollet. « Bon, il avait dit, tu partiras ce printemps pour l'Alpe, mais, avant ça, montre tes dents. » Je retroussai mes babines, comme un chien qui rit et il dit : « Bon » et cette fois, c'était décidé. J'allai tout aussitôt dire au revoir à mon couple de chevaux, puis je cherchai les bergers. Ils avaient fait campement dans le grenier, sur le beau foin bossu comme le large de la mer. Je restai là à prendre vent comme font tous les bergerots et, au soir, au lieu d'aller sous la soupente où d'habitude je couchais, je me creusai un trou dans le foin pour dormir à côté d'eux.

A la Noël, on alla saluer le Jésus à l'église et je n'étais pas avec les garçons de charrue, mais bien dans l'équipe bergère et on m'avait prêté une veste en peau de mouton, un chapeau pointu et un fifre. En sortant, le vieux Bouscarle me mit la main à l'épaule : « Le Jésus, il me dit, il est là-haut », et comme je regardais le large du ciel, il me dit : « Non, pas dans le large, dans ce petit bout, là, tu vois, cette toute petite étoile. »

Bouscarle était mon baïle. C'est lui qui me donna les notions de tout ce qu'il faut savoir pour être un aide-berger, et surtout soigner les bêtes. « Soigne-les, il me disait, mais, le plus important, mets-toi en confiance avec elles. Tous tes gestes, fais-les justes. Sois l'équilibre. Quand on porte un grand vase plein d'eau, on ne court pas. »

Vous avez couché quelquefois dans une belle épaisseur de foin? Oui? Alors, vous savez qu'en deux nuits on n'est plus le même, mais que ça soûle comme de l'eau-de-vie. Tous les matins, Bouscarle mettait sa main écartée sur ma tête et il me regardait l'œil. « Tu résistes, petit, il me disait, tu résistes, c'est mauvais. » Et, de fait, je ne vous cacherai pas que je résistais de toute ma force contre la soûlerie de l'herbe. Mais, l'herbe c'est plus fort que tout parce que ça n'a pas de limite dans les jours et que ça veut toujours la même chose depuis le commencement des temps jusqu'à la fin, et une belle fois Bouscarle me regarda au plein de l'œil sans rien dire. Je vis un peu de sourire au noir de sa barbe. Dans l'après-midi, il me mena aux moutons. Il ouvrit la porte de l'étable; il la referma sur nous et, comme ça, nous étions dans l'ombre, immobiles. Il ne me donna pas de conseil, ce jour. Je faisais tout comme à travers moi-même un autre homme aurait fait. L'odeur des bêtes était une grande chose à faire peur.

Au bout d'un moment, on commença à y voir plus clair : un peu de jour venait d'une lucarne ronde à travers des toiles d'araignées. Un gros frelon nageait doucement dans l'étable, sans peine, porté par l'épais de toutes ces respirations, Bouscarle dit un mot. Toutes les têtes de moutons se tournèrent vers nous. Dans la lueur de la lucarne les yeux des bêtes se mirent à luire comme des étoiles de nuit et il sembla que dans l'os des têtes j'entendais sonner la ballotte de toutes les cervelles.

« Le Jésus, dit Bouscarle, c'est le plus petit de tous les dieux. Un berger, rien qu'un berger. Il y avait, d'abord, celui dont nous étions tous le corps, avant d'en être des morceaux. Le Jésus en était un morceau plus gros que les autres, voilà tout. Il y a les gros dieux et c'est avec ceux-là, garçon, qu'il va falloir faire ton habitude. »

En sortant de là, Bouscarle dit :

« Viens, je vais t'apprendre à jouer du fifre. »

Il fallut s'en aller jusqu'au gros gerbier du large des terres et là, solitaires tous les deux, on fit le jeu jusqu'au plus profond de la nuit. Il me montra comment placer les doigts sur les trous et moi je voulais, de toute ma tête, mais la jointure de mes doigts manquait d'huile et, tantôt je levais trop tôt, tantôt je levais trop tard. Puis il me fit connaître la science du souffler et d'abord il soufflait, puis il me passait la flûte toute chaude et je léchais sur l'anche d'osier le goût d'ail et de vin qui était l'haleine de Bouscarle. Les premières notes allaient bien parce que le souffle du berger était encore dans la flûte, puis j'étais abandonné à moi seul dans un vide, plus vide que le grand vide de la mer, et c'était dur à soulever, le poids de la musique avec ce petit roseau creux.

« Tu résistes, garçon, disait Bouscarle, tu résistes, tu vas au fond, laisse-toi porter, fais-toi mou, laisse-toi vivre de la vie sans penser que tu joues de la flûte, et, alors, tu joueras. »

Il disait le vrai. Alassé de bataille, dans le moment où toutes les étoiles couraient dans le ciel comme des graines au vent, je jouais. Cela venait du cœur comme un débond soudain et ça m'allégeait à mesure, et par le canon de ma flûte je me vidais, comme une bonne fontaine se purge de son eau noire.

Notre mas était un gros mas; on avait vingt mille moutons. Cinq grosses bergeries alignées le long de la route tenaient tout ça le plein de l'hiver. Ils allaient, de ce temps au pacage maigre des marais secs, à lécher le sel au bas des plantes, à tondre la saladelle, et les abeilles, qui sont des mouches d'herbe, connaissant qu'autour de nous il n'y avait pas de fleur, faisaient par-dessus nos quartiers un saut de plus de dix kilomètres.

Le matin du beau départ, Bouscarle prit les rênes de toute la ferme et commença à secouer durement le bridon. Tout le monde en saignait de la bouche, moi-même je ne comptais plus. C'était lui pourtant qui avait guidé mes doigts sur la flûte, c'était lui qui m'avait mis tout mince devant l'œil des moutons, mais il ne me donna pas un regard de plus qu'aux cent aides bergers qui bourdonnaient autour des besaces. Le patron s'avança en beau gilet à fleurs, juste au moment où, de la première porte qu'on avait levée comme une écluse le flot des bêtes commençait à couler. Ça fit une reniflade, des galops, une escalade de haie, et au fond des grands champs les chiens des lointains mas aboyèrent. Notre baïle revint tout droit sur le patron. Il était noir luisant et de mauvais toucher comme de la poix chaude. Il dit des mots : je les vis. Je ne les entendis pas dans tout ce bruit; je les vis au blanc des dents et à ce retroussis de moustaches, et à ce crachat dédaigneux que Bouscarle jeta au droit de la poussière. Je vis ces mots et je vis aussi le patron qui s'en allait, sauf le respect, la queue entre les jambes, et le baïle qui lui lardait le dos d'un regard, je ne vous dis que ça. Chacun à sa place.

L'ordre revint, l'homme-chef hurlant au long du ciel les longs hurlements de la langue des moutons et ça commença à couler épais et dur, et la route toute surprise avait déjà commencé à gémir de toutes ses pierres, et de larges banderolles de pies et de huppes claquaient autour de nous comme des floquets de fête. La fête, oui, la fête du long vouloir!

Alors, avant de faire son premier pas devant les bêtes, avant de prendre en commandant le blanc de la route, le baïle Bouscarle s'approcha des bâts où j'étais à serrer des courroies. Il me mit à l'épaule une main de plomb et j'en sentis la sueur à travers la chemise. Je tournai la tête, je le regardai; ce n'était plus le même homme.

Il rayonnait des grands rayons de sa sueur.

« Garçon, il dit, ne te crois pas le pape. Tu connais les moutons, connaître c'est quitter, maintenant tâche d'aimer; aimer c'est joindre. Alors, tu seras berger. »

« Ah! je le savais bien, je n'étais qu'un petit goujat, mais pour les bonnes façons j'étais quand même un des premiers, et il avait guidé mes doigts au long de la flûte. Je le savais bien qu'on ne pouvait d'un seul coup m'oublier même par une cervelle qui tire en avant vingt mille moutons.

Et pourtant il m'oublia; du moins, tout me le laissa croire.

On s'en alla de longs jours par le travers d'une plaine rouge comme de la chair écorchée. Je menais un mulet de bât. Pour ça, je marchais seulement à côté de lui et je lui tapais au naseau quand il reniflait l'ombre de quelque cyprès ou quand il tendait la dent vers les orties-fer-de-lance. La poussière me brûlait les yeux; elle entrait toute sanglante dans ma bouche; elle collait ma langue, c'était une boue au fond de mon gosier. Voir là-devant, celui là-bas, mille moutons plus loin, qui menait l'autre mulet, il n'y fallait jamais compter, sauf à profiter du plongeon brusque du vent. Voir celui de derrière non plus, et, bientôt, le vent lui-même ne descendit plus jusqu'à nous, une trop forte épaisseur de terre volante nous suivait. Perdu, roulé dans le troupeau comme un gravier, je gardais mon dedans bien serré sur cet amour du baïle; je le savais là-bas à des kilomètres, marchant les premiers pas, traçant la route et, de temps en temps, je tâtais au long de mes cuisses la petite rondeur de la flûte qui tintait dans ma poche contre le manche de corne de mon couteau. J'avais une gourde en peau de bouc avec un peu plus d'un litre d'eau fraîche; de temps en temps j'en prenais un peu. Les jours s'étiraient; ils étaient tout étendus par terre. Il fallait les parcourir d'un bout à l'autre en portant ses pieds en avant. De temps en temps, un grand fantôme de cyprès venait dans la poussière au-devant de moi. Il passait à côté, insensible, sur sa route à lui, et moi je marchais sur ma route à moi. Parfois, d'à travers la poussière une ferme camuse et blême nous regardait. Derrière nous tout le pays gémissait du gémissement des traînards. On s'arrêtait au soir dans des petits villages tout fermés comme des tortues surprises. Tout était mort, sous nous. Celui du bât de derrière et celui du bât de devant venaient jusqu'à moi sur la douleur de leurs pieds. On restait là à écouter retomber la grande poussière.

Celui de devant disait :

« Le baïle a dépassé Villeneuve-les-Orges, c'est un charretier qui me l'a dit. »

Ou bien :

« On m'a dit que le baïle est plus loin que Saint-Raphaël-des-Roches, dans les vallées du Luberon. »

Et, d'un seul coup, j'avais alors le désespoir de ce grand pays, de cette grande terre qui devait toute passer sous nos pieds. Quand je dormais, je rêvais de la boule du monde, de cette grande boule du monde et il me fallait l'enjamber de l'écart de mes jambes comme on fait dans les cirques pour des boules de bois et ça me fendait à travers mon ventre et ma poitrine.

Des fois, celui de derrière disait :

« Le Mas!... »

Pas plus, pis il restait avec ça aux lèvres à remâcher parce qu'il avait laissé là-bas une amoureuse.

Alors, je pensais au mas comme à une chose perdue dans le fin fond des années, sous des terreaux et des terreaux de forêts mortes après cent millions de tours de la terre.

Puis on repartait, d'un ébranlement sans ordre ou plutôt sur un ordre muet venu sur l'aile de l'air; les moutons se levaient, les mulets se levaient, il fallait suivre et on se remettait à marcher sur la large terre dans le bouillonnement de la poussière.

Ainsi, sans penser, sinon à la souffrance de ma chair, sinon, à en pleurer, à cette grande épine de fatigue qui me traversait;

jusqu'au soir où on fit grand'halte de douze heures dans un village frais et feuillu comme une pêche à l'arbre. Mes deux compagnons dormaient là-bas sur leur place. Sitôt le bruit retombé, et son écho dans le feuillage de hauts ormes, j'entendis chanter des fontaines. L'eau!

C'était une belle fontaine plate de nez comme une abeille. Elle racontait par trois bouches à la fois, trois longues histoires d'eau pleines de cresson, de poisson frais, d'anguilles et de grenouilles; elle parlait de beaux lavages de pieds et d'un long boire à gueule ouverte.

J'allais, quand un agneau se mit dans mes jambes. Il était tout morveux à ne pouvoir ouvrir le museau, aveuglé de bave; sa tête n'était qu'un bloc de mortier et il cherchait la fraîche en tapant sa courge de crâne contre la margelle.

Alors, je le pris dans mes bras, je le lavai, je lui donnai à téter de l'eau, en emplissant ma main, faisant tétine avec mon pouce. Puis je le lâchai et il s'en alla vers sa mère en éclaboussant des gouttes en soleil.

Et ce soir là, je sus que ce n'était pas seulement la flûte qu'il m'avait montrée, le baïle Bouscarle, en guidant mes doigts sur les trous du roseau, mais toute la vie :

« Sans penser que tu joues, et alors tu joueras... »

Je me regardais au bassin; je ne connus pas mon visage : de garçon j'étais devenu homme, d'homme j'étais devenu berger; le rayonnement de ma sueur m'éblouissait.

Là, le berger changea de voix pour m'offrir des figues sèches.

« Et puis, j'ai sous les feuilles six fromages préparés dans du poivre d'âne. C'est à votre service. »

On prit les quartiers d'été dans une haute pâture aux parages du col la Croix. Les glaciers avaient pris tout ça dans la main et l'avaient haussé jusque contre le ciel. De grands doigts glacés tenaient l'herbe. C'était du gras à rendre fou toute bête saine. Il y avait des reines-des-prés épaisses comme de la crème de lait et, rien qu'à marcher dans les pacages, les semelles des espadrilles en étaient vertes de jus.

Je restai de longs jours renversé sur le dos, suçant ma flûte, poussant de temps en temps quelque petite note frisée. Mon sang se calma. Mais j'avais gardé l'expérience et, de plus en plus, surtout aux heures du soir, je pensais aux dires du Bouscarle et j'écoutais le pas des grands dieux.

Je buvais du ciel, à longues goulées, comme l'eau au bassin de cette fontaine où j'avais miré mon premier rayon de berger.

Les moutons étaient répandus dans toute la combe et sur les versants. Ils s'en allaient jusqu'aux abords d'un village maigre comme un pauvre.

Je vais vous dire le secret :

Le vrai métier du berger, un seul l'enseigne : le ciel. Dans ma vie d'après j'ai longtemps pesé, soupesé, et fait passer d'une main dans l'autre tous les mots de Bouscarle, et, j'ai compris que chacun de ces mots voulait dire deux choses : une chose qu'on comprenait tout de suite, une autre chose qu'on comprenait avec le temps, tout doucement.

« Le Jésus, ça n'est pas le grand large : c'est ce petit bout de nuit, là-bas, avec une étoile, une seule. » Dites ça à un goujat de quinze ans qui sort de chanter à la crèche : il regarde l'étoile, il regarde le doigt qui montre l'étoile; il dit oui; il n'a pas compris.

Il n'a pas tout compris.

Mais, quand c'est un homme de mon âge qui mâche et remâche ça pendant des ans, tout seul, et qu'à chaque fois un peu plus de son expérience d'homme s'ajoute à sa réflexion, alors il y a des chances pour que le deuxième sens s'allume comme une lampe.

Une étoile; une seule; et maintenant, regardez la nuit toute inondée d'étoiles!

Il y a des forces du monde : voilà le secret!

Ça voulait dire :

« Petit, tu as entendu notre pasteur. Il t'a conté la belle histoire du petit enfant qui n'a pas été reçu par les mains des accoucheuses, mais par la paille, comme sont reçues les bêtes. Il t'a dit que c'était une vierge qui l'avait fait : les bêtes sont des vierges; elles ne salissent pas les gestes qui font la vie. Elles font la vie, simplement : elles vont dans les buissons puis elles sortent avec des enfants-bêtes et, tout de suite, ces enfants-là tâtent la vie du frais du museau et, tout de suite, ils sont lourds d'une grande sagesse qui étonne les hommes. La crèche, la paille, le bœuf, l'âne, la vierge, cette naissance c'est parmi les hommes la naissance d'une bête saine. Voilà la grande leçon. Voilà pourquoi les hommes ont crucifié l'enfant. »

Savoir tout cela m'aurait aidé, mais je ne savais pas alors et je jouais de la flûte.

Ce jeu de flûte, cependant, ça n'avait pas été par hasard que Bouscarle avait appuyé le roseau sur ma lèvre. Cette flûte, c'était toute la connaissance du ciel, c'était le roseau qu'on plante à la chair poreuse des talus pour faire naître les fontaines. Je plantais la flûte dans le ciel, j'embouchais l'autre côté, et, la musique, c'était seulement le bruit que je faisais en m'emplissant de ciel.

En arrivant à la montagne, Bouscarle avait élu des seconds-maîtres. Le nôtre était un mangeur de viande du Pontet, un homme savant, presque aussi savant que Bouscarle avec cette simple différence qu'il ne savait pas les grands mots qui font les départs, et ça venait de ce qu'il aimait la viande presque crue et qu'il était trop imbibé de sang.

Un soir, il vient à moi avec du souci à pleins sourcils. Il regardait les moutons d'un drôle d'air.

« Petit, il me dit, va du côté de Corne-Blanche, tu trouveras Bouscarle. Tu lui demanderas de ma part : « Vous avez eu vent « de la planète? » Pas plus. Puis, tu viendras me répéter sa réponse. »

Notre troupeau, au lieu d'être tout répandu dans les herbes, s'était caillé à gros paquets de bêtes tremblantes.

Je vais et, sur le tard, je vois la lanterne du baïle; il était assis à côté. Les garçons du pacage « Vermeil » étaient là eux aussi et ceux qui gardaient dans les pacages de Norante, enfin tous, peut-être trente, courbés sur leurs bâtons, l'oreille tendue vers le Bouscarle qui ne soufflait mot.

J'allais parler quand on me dit :

« Oui, on sait!

— Et alors? je dis.

— Et alors!... »

Et on fit signe de la tête du côté de Bouscarle, le front bas et muet. Et moi, je m'appuyai aussi sur mon bâton et j'attendis comme les autres.

« Qui a frappé les bêtes? » demanda doucement Bouscarle.

Un répondit :

« Moi!

— Avance-toi. »

C'était un Arlaten rablé, noir et gris comme une cigale.

« Je veux dire, continua Bouscarle en regardant l'homme, si tu as frappé sans être juste? »

L'Arlaten resta un moment rien qu'avec lui, puis :

« Oui, il dit, moi, j'ai frappé sans être juste.

— Alors, dit le baïle, descends au village puisque c'est encore temps et reste là-bas:

— On en est là », souffla un berger à côté

de moi. Puis, il dressa le bras pour se faire voir et il fit :

« Moi aussi j'ai frappé, baïle.

— Non, il fallait le dire tout à l'heure. J'ai besoin de tout le monde; je veux sauver ce qu'on peut sauver, mais il me faut des hommes. Si c'est vrai, si tu as frappé, cours ta chance; je te garde, tant pis pour toi. »

Puis il demanda :

« Et les chiens. »

Alors, on s'aperçut que, sur le devers du sentier où on y voyait comme en plein jour par le reflet de la lune dans les glaciers, les chiens galopaient la tête basse vers les vallées.

Je m'en retournai au sous-maître pour lui dire tout ça et je pensais à cet « On en est là » du berger, et ça me faisait dire qu'insensiblement on avait dû entrer profond dans quelque mal bien étrange.

Je dis mon sens à celui du Pontet.

Il me montra le ciel où je ne voyais rien.

« Rappelle-toi quand le soleil s'est couché hier. »

J'essayai de me souvenir : rien.

« Tu n'as pas senti le soufre?

— Non! »

Puis je me souvins que cet hier j'avais joué de la flûte juste au versant du soleil et je pris ma flûte, et je reniflai sur les trous et alors, oui, je sentis le soufre.

« C'est la planète », dit le sous-maître.

L'aube vient comme les autres. Rien de changé, sinon notre troupaille toujours caillée comme du mauvais lait, et notre chien-labri qui n'arrêtait plus de trembler et ne quittait pas mes talons. J'allai à la hutte du sous-maître.

« Macimin », je criais.

Mais la hutte était vide. Il avait raflé couvertures, gibecière, bâton, gourde et il était parti. J'eus un peu de froid dans le dos d'autant que le chien-labri vint renifler la hutte vide, me regarda, regarda les moutons, puis essaya deux petits pas dans l'herbe. Les moutons dormaient. Le chien s'élança dans le long galop allongé. Alors, les moutons se dressèrent. C'était une chose entendue; ils s'étaient dressés et ils n'avaient pas secoué la tête comme ceux qui s'éveillent, mais au contraire ils avaient aussitôt bougé les oreilles pour saisir ce sifflement de l'herbe sous le galop du chien et lire la trace de sa route. Le chien, là-bas, s'arrêta court; il prit le vent; il essaya de se raser, de revenir vers moi en prenant les chemins de dessous terre; alors un gros bloc de moutons serrés ventre à ventre roula pour écraser sa route.

Je pris le bâton et j'allais courir en criant :

« Fédo! Fédo! » quand j'entendis comme Bouscarle qui disait à mon oreille :

« Si tu as frappé, tant pis pour toi. »

Et je restai sur mon tertre à regarder.

Tous les caillots de moutons étaient en marche comme des nuages dans l'herbe. Ils couraient en faisant de grands cercles suivant un plan qu'ils se criaient les uns aux autres dans un bêlé tout nouveau. Le labri affolé dansait au milieu de ça. Enfin, ils encerclèrent le chien et celui-là sut que son dernier moment était là; il ne lutta plus, mais je vis les moutons se serrer autour de lui, l'engloutir, le piétiner, le piétiner à mort, longtemps, avec la grande conscience d'une chose qui devait être bien faite.

Je courus vers les rochers. De là, on dominait nos régions et puis celles du « pré Vermeil » et un morceau de Norante. Là-haut, je trouvai le baïle couché tout de son long contre terre, le chapeau sur les yeux et quatorze de nos gens maigres et les lèvres blanches de peur.

Car, en bas, c'était comme un coup d'orage : une ruée de moutons partout coulait au plein des vallées. Ça arrachait les barrières, ça écumait en bêtes qui bondissaient contre notre rocher; ça déchirait la terre et ça courait d'un grand trot résolu comme une lancée d'eau dans un torrent. Au milieu du bruit, on entendait le village en bas qui sonnait son tocsin. A la nuit, le baïle enleva le chapeau de dessus sa figure. Il nous dit :

« Comptez les feux. »

On appointa ses yeux pour compter les feux de garde. Des nôtres, il n'y en avait plus. Là-bas loin, sur le large dos de la montagne, il y avait d'autres troupeaux d'Arles, de Crau, de Camargue, d'Albaron, et on dit :

« Maître, il y a les cinq feux de Crau, les trois feux d'Albaron, les dix de Camargue.

— Regardez-les bien », dit le baïle.

On écarquilla les yeux à s'en faire mal, on resta là un bon moment, puis on cria :

« Maître, maître, ça s'éteint, ça s'éteint, plus qu'un feu d'Albaron, plus de feu pour la Crau, plus de Camargue. Plus rien, maître, plus rien, tout s'est éteint. »

Le baïle se recoucha, se couvrit les yeux du chapeau. Il dit comme en se parlant à lui, mais on l'entendit :

« Là-bas aussi, donc, c'est la grande révolte. »

Voilà ce que j'ai vu, moi, petit bergerot, et ça n'est permis qu'une fois tous les cent ans, cette révolte des bêtes, sur un ordre venu du ciel, avec l'odeur du soufre. Voilà ce que j'ai vu; et voilà ce que j'ai fait.

J'ai pris ma flûte et j'ai joué tout doucement, pour moi, j'ai joué cette peur de mon cœur et la grande voix du mystère. Il y avait, de par le monde, cette nuit-là, un bruit terrible de bêlés de moutons et de cloches de clochers, de craquements de maison de bois, et des cris d'hommes, et des cris de femmes, et un grand ruisseau de colère qui dévalait l'escalier des montagnes.

Bouscarle dit :

« Joue pour tous. »

Alors, je pris une bonne gorgée d'air et, de toute la rondeur de mon souffle, je me mis à jouer de la flûte pour tous.

*

Il se faisait tard. Il ne restait plus qu'un petit pré de soleil là-haut sur la colline entre le soir débordant des combes et le ciel luisant comme du fer neuf. Nous montâmes chez Césaire. Il était là devant son aire, les bras ballants, les mains lourdes d'argile; le four fumait.

Dans un petit nid d'herbe, le berger portait sur son bras replié ses fromages en lait de brebis.

« J'ai vu passer des moutons, dit Césaire entre deux bouchées, ça en a fait trembler le jour. Ça coulait à plein sur la route. »

Je parlais aussi de ces troupeaux du matin, de ce grand fleuve de bêtes qui coulait par le pertuis de Mirabeau et la pause près de la fontaine.

Le berger écouta, puis il demanda le calendrier de la poste. Il regarda le carton, pointa les jours du bout du doigt. Puis il dit :

« C'est le jour, ou plutôt ce soir, c'est le soir. Césaire, on devrait partir. »

Césaire regarda la femme blanche, la fille rousse et les enfants, puis moi.

« Et celui-là? dit-il.

— Celui-là, on l'emmène. »

Je croyais partir pour une réunion de bergers. La hâte avec laquelle tout avait été décidé, les lents conseils de la femme blanche, : « Prends le manteau, porte la couverture, sors à celui-là le caban du grand-père » me donnèrent au bout d'un peu une légère inquiétude. Puis, le berger regarda au dos du calendrier la carte du département et je voyais son doigt filer loin dans le blanc des mauvais pays. Puis, Césaire dit :

« Il faut emprunter le cheval de Chabrillan et, alors, il faut partir tout de suite, parce que, si on tarde, la ferme sera close jusqu'au portail et on perdra du temps quand on n'en a pas de reste. »

Alors, je demandai doucement :

« On va loin?

— On va là! » dit le berger.

Je regardai à la pointe de son doigt. C'était le plateau de Mallefougasse.

Je ne connaissais Mallefougasse que par ce qu'on m'en avait dit. Tous les forains que j'avais fréquentés avant de trouver ces solides branches à gros feuillage de Césaire et du berger, m'avaient parlé une fois ou l'autre de ce pays. C'était, chaque fois, le bout du monde. Mais, je me souvenais surtout de Pierrinet le maquignon, quand il mit sa main en oblique, moitié sur la table du café, moitié hors de la table et qu'il me dit : « Mallefougasse, c'est ça. Ça tient encore un peu à la terre. Quoique!... Mais, dessus, dessous, c'est du ciel. C'est une chose avancée dans le ciel. Le ciel est autour de cette terre comme une boule qui suce. Vous comprenez? » J'avais compris à cette époque. Je comprenais beaucoup mieux maintenant, je comprenais ce doigt posé sur la carte grêle du calendrier, Césaire qui empruntait un cheval et tout ça qui allait m'emporter, roulé dans le caban du grand-père, vers cette terre que le ciel suce comme une bouche.

Chez les Chabrillan, le portail était fermé.

« Je le savais, dit Césaire, quand on est pressé, c'est toujours comme ça. »

On tapa du pied et des poings contre la porte : ça faisait un bruit de ferrures et de chaînes. On cria :

« Bartholomé! Bartholomé, Malan de sort, tu te réveilleras, oui ou non? »

La ferme resta bien serrée sur son sommeil. Les chiens cependant hurlaient dans la cour.

« Il me semble pourtant qu'on fait du train, dit le berger. Car, s'ils n'y étaient pas?

— Comment veux-tu, dit Césaire, il faudrait une catastrophe : ils ont une petite jeune. Ils ne l'auraient pas laissée seule. »

Il cria un :

« Bartholomé! » dont il dit, tout enroué après :

« Je m'en suis fait péter les cordes! »

Mais, cette fois, il y eut une petite ligne de lumière autour d'un volet fermé. Le volet s'entrouvrit.

« Qui est là? demanda une voix de femme.

— Ah! cria Césaire soulagé, c'est toi Anaïs? Que de sommeil dans une petite femme! Réveille Bartholomé.

— Qui es-tu, toi?

— Ah! Anaïs, débouche-toi les oreilles, allons : Césaire de la poterie, tu le sais, Bartholomé!

— Il n'est pas là.

— Où est-il?

— Il est allé au village.

— Il est fou!

— Non, il avait besoin de voir Pancrace et Pancrace n'est là qu'au soir, alors il a dû rester.

— Nous voudrions, dit Césaire, que tu nous prêtes « Bijou » et la carriole; on doit aller à trois jusque par là et c'était entendu avec ton Bartholomé. »

Anaïs resta un moment muette, puis elle dit :

« Moi, je n'ouvre pas; la nuit j'ai peur, je n'ouvre pas, attends Bartholomé.

— Mais on n'a pas le temps, Anaïs, tu es folle ou quoi? Tu sais bien que c'est moi, tu m'entends parler, tu le reconnais, ce parler? Enfin, c'est moi, Césaire, encore une fois. Césaire et puis Barberousse le berger, et puis un de la ville, c'est un ami. Allez, ouvre, tête de fromage! »

Elle restait, butée contre son idée, là-bas, dans sa fenêtre. Elle s'appuyait à la barre du plein de ses bras nus et elle répondait ses « oui, mais... » à tous les dires de Césaire.

« Oui, mais, tu sais, des fois... c'est comme ça, ça semble la voix et ça l'est pas, des fois la nuit c'est des choses faites d'un tas de « malandres »; ça semble Césaire, et puis tu ouvres, et puis alors... »

Et Césaire était tout impatience à piétiner sur place comme un mulet d'aire, et Barberousse jurait au fond de sa barbe, quand Bartholomé arriva, portant la lampe-tempête; le fanal lui faisait une ombre d'un kilomètre.

« Ah! dit-il, oui. » Puis : oui encore, mais il n'eut pas le temps de se reconnaître : Césaire le poussait contre la porte, puis de là à l'étable et bientôt Bijou tout harnaché arriva.

« Ferme, ferme, cria Césaire, on n'a le temps que de partir. »

Déjà deux ressauts de terre nous roulaient dans la grande vague des collines, loin du portail où Bartholomé haussait la lanterne.

Il pouvait être dans les onze heures de la nuit à en juger par les coups de cloches au clocher de Reillanne, mais on jugeait mal à cause du vent et surtout à cause de cette charrette-balancelle qui se plaignait à pleins étais dans les dures vagues de la terre.

Puis on entra dans le désert du grand Sans-Bois et les étoiles venaient s'appuyer jusque sur le rebord des ridelles.

« On mettra trois heures », dit le berger.

Notre pilote, c'était Césaire; il regardait au ciel la trace du chemin; les étoiles, paraît-il, le marquaient.

« Tu vois, disait-il, on va passer entre celle-là et celle-là. »

Puis, il donnait des coups au bridon pour éveiller « Bijou » qui dormait à pleine esquine.

On descendait dans les bas-fonds de la terre, comme dans des tourbillons d'eau; on entendit claquer des mâchoires sur le vide de notre sillage, ou bien on se haussait jusqu'au fragile et tremblant sommet d'une colline dans le bruit sourd des étoiles.

D'autres fois, tout un large plat nous portait sans ressauts, d'une erre calme on glissait sur un plateau. Les grands sabots de « Bijou » clapotaient dans le sable. Il nous semblait alors que là-bas, devant nous, d'autres vaisseaux couraient. Puis, on les apercevait immobiles comme à l'ancre, le pilote tirait le gouvernail de cuir et nous frôlions de gros châtaigniers bruissants comme des récifs. La nuit écumait sous des fuites et des ébats, et la lourde nage de sangliers éventrait les buissons de genièvre. A notre bord, on était trois : Césaire, qui cherchait le chemin des étoiles, et Barberousse, sans un mot; moi, depuis que j'avais senti sous le navire le halètement de la terre, j'étais perdu comme un petit chat et je tenais à pleins poignets la veste de velours de Césaire.

Nous arrivions sur le grand devers. Barberousse poussa un cri, Césaire arrêta l'élan à pleins bras; nous nous dressâmes tous les trois sur la planche tremblante de la charrette.

A la perte de la vue, le plateau descendait vers le gouffre lointain de la Durance. Il y avait tant d'étoiles par là-dessus qu'on y voyait un peu, dans une lumière grise, la courte écume des bruyères et des lavandes et, en bas très loin et très bas, les écailles de la Durance.

« Trop tard », cria Barberousse.

Il nous montra, par là-bas, devant, quatre grands feux accroupis qui n'étaient plus que braises. Toute la grande pente du plateau ruisselait de troupeaux. On ne les voyait pas, on entendait leur bruit de cascade, et les sifflets des bergers, et le balancement des lanternes qu'on berce lentement dans la nuit pour donner aux moutons la cadence de la marche. Les routes alpestres sonnaient déjà comme des ruisseaux. Trop tard! Les bergers partaient.

Une grande terre venait de s'engloutir devant nous comme dans la mer.

III

On aura trouvé, dans les pages précédentes, l'obsession de l'eau et de la mer : cela vient de ce qu'un troupeau est une chose liquide et marine.

De Crau à l'Alpe il n'y a que des rivières sèches, des torrents qui charrient des cigales et des lézards; les troupeaux montent dans les épines et les brasiers de la poussière; oui, mais ce flux qui va râpant le sol de son ventre, cette laine, ce bruit monotone et profond, tout cela fait aux bergers des âmes qui ont le mouvement sonore et le poids de la mer.

Aux jours d'été, sur les paliers de la montagne, le berger s'étend dans l'herbe en face du ciel. Les nuages ont une vie d'algues et de fucus : des herbes épanouies dans les mamelles de la vague comme les éponges à lait dans les seins des femmes. Parfois, quand le large est tout bleu, après le passage de la bise, une petite voile blanche travaille encore au plein du vent vers les lointains ports de l'horizon.

Enfin, cet amour des bergers pour l'eau et pour la mer, cette obsession qui, là-haut, au plein des terres hautes les fait parler de pilotes, de barres, de voiles, de vagues, de sable, d'écume, d'envol, de nage, de gouffre et de fond; cette belle amitié est tracée profond dans leur chair parce que le métier de chefs de bêtes est une chose comme de l'eau qui coule entre les doigts et qu'on ne peut saisir; parce que cette odeur de suint et de laine, cette odeur d'homme cuit dans sa sueur, cette odeur de bélier et de bouc, cette odeur de lait et de brebis pleines, cette odeur d'agneaux naissants roulés dans leurs glaires, cette odeur de bêtes mortes, cette odeur de troupeaux à l'alpage, c'est la vie, comme la saumure des grandes mers.

De retour vers Saint-Martin-l'Eau on vit

surgir du beau de l'aube le village perché de Dauphin. Césaire nous laissa à l'attendre près du pont et il prit la traverse pour reconduire Bijou à son étable. Le berger entra jusqu'aux genoux dans le Largue. Il se baissa sur l'eau, surveillant la lente vie du dedans. Il pêcha à la main un barbeau rond comme une aubergine puis il tira d'un trou une longue anguille en colère et qui claquait autour de son bras. Césaire revint de là-haut avec des poignées de poivrons verts. A ce moment, il y avait du lait dans le ciel et la journée s'annonçait belle. Comme nous arrivions à la poterie, la jeune sorcière y arrivait aussi, efflanquée, poudrée de poussière, tassée sur ses mollets maigres par une longue course de nuit. Je compris qu'elle avait couru derrière notre charrette. On écorcha l'anguille encore vive et la peau se gonflait au vent. On mit le barbeau sur un gril de fil de fer et, dans un feu de sarment, tout ça se mit à cuire; court-bouillon de fenouil et grillade. La jeune fille arrosait le poisson d'une huile minutieuse.

Le berger travailla un peu : il apprit d'un

soupir que la brebis Joséphine avait mis bas et il alla torcher l'agneau avec des bouchons d'herbe. Il nous l'apporta d'ailleurs, encore tout tremblant, tout gluant, tout étonné. L'odeur de l'agneau naissant se mit avec l'odeur de notre soupe, de notre feu, puis vint l'odeur de l'aube, ce parfum de terre éveillée et d'arbres qui reprennent leur vie. Le ciel recommença à gémir doucement sous le soleil.

On mit un nom sur ce que nous avions manqué la nuit d'avant par la faute de la peureuse Anaïs. C'était ce grand drame de la terre que les chefs de bêtes jouent tous les ans, la nuit de la Saint-Jean d'été.

*

Je revins à Manosque par des routes commodes. Les pas, ma force, la soupe à l'anguille avaient fait du sang et je roulais par les chemins comme une pierre, mais j'avais faim de cette grande chose d'esprit; je ne pensais qu'à elle. Insensible à la belle fleur du ciel, à toutes ces huppes qui apprenaient à voler autour de moi j'allais et ma pensée comme un oiseau de l'an apprenait aussi à voler; elle s'en allait vers cette odeur d'agneau naissant.

Plus de repos! J'avais écrit à Césaire; je lui avais dit :

« Voilà ce que tu feras, surveille bien pour moi la date et l'heure. Tâche de savoir, renseigne-toi au plus juste. Il vaut mieux vingt avis qu'un seul. Puis, je te charge de toute l'affaire parce que, moi, tu le sais, je suis loin de tout, je suis loin de ça, parce que, somme toute, je n'ai pas su me dégager en plein de la vie facile, parce que j'ai une famille qui y est habituée, parce que Manosque n'est pas une grande ville, mais c'est une ville quand même. Tu sais ce que je veux dire? Je te le dis pour que tu saches que je mets toute l'affaire dans tes mains. Moi j'ai compris que je ne pourrais jamais savoir l'heure. Il me faudrait aller passer des jours et des jours dans la colline et ce sera justement la fois où je fermerai les yeux que celui du foulard rouge passera et, encore une fois, je manquerai tout. Surveille bien et puis dis-moi à peu près le moment. Je m'arrangerai pour être prêt de jour et de nuit. Envoie-moi une dépêche, je monterai tout de suite. Préviens Anaïs et Bartholomé et, si même tu pouvais avoir un cheval plus rapide... Ah! oui, Césaire, ma vie était comme la tienne. Creuser un trou et vivre là avec seulement la compagnie de ceux qu'on aime. J'aurais peut-être eu aussi une fille sorcière. Maintenant, c'est trop tard. Embrasse tout le monde autour de toi. »

Et j'avais joint à ma lettre un mot pour Barberousse. C'était dans une enveloppe de carte de visite et dessus j'avais écrit : « Pour le berger. » Je lui disais : « Barberousse, voilà ce que c'est : il ne faut plus manquer à cette chose des bergers. Tu m'as parlé des moutons, et de la révolte, et de ton baïle qui est enterré à Saint-Martin-de-Crau. Ça m'a donné grande envie. J'ai écrit à Césaire pour qu'il surveille l'homme au foulard rouge; tu le sais, Césaire, c'est un brave homme, mais il a son travail; il ne peut pas passer tout son temps à regarder la route. J'ai besoin d'être sûr, c'est pourquoi je t'écris à toi aussi. Toi, tu es prévenu par des choses qui sont dans l'air. Toi, tu m'as dit (tu te souviens) : « L'ombre de l'aigle, ça réveille » et puis : « Ça c'est la même chose. » Je te demande un service. Surveille ça pour moi. J'ai besoin d'être là quand les bergers joueront. Je te dis pourquoi : c'est parce que je veux copier ce qu'ils diront sur du papier, et puis après le montrer pour faire voir que les bergers c'est pas seulement des bergers, c'est, comme tu dis, des chefs de bêtes. Je te serre bien la main. »

Ces lettres apaisèrent mes inquiétudes pendant trois jours. Puis, Lardeyret qui fait le service de patache entre Manosque et Simiane vint m'apporter la réponse. C'était : « Bon, comptes-y » de la part de Césaire et, de la part de Barberousse, c'était : « Ça va bien. »

J'aurais aimé quelque chose de plus affirmatif.

Je m'éveillais au milieu de la nuit; il me semblait que les jours avaient coulé de partout comme de l'eau à travers un panier. Le calendrier était en bas dans la cuisine. Descendre, s'assurer, c'était faire du bruit dans l'escalier, renverser des chaises, inquiéter toute la maison. Je restais assis sur mon lit. Voyons : hier, jeudi. Maintenant février; le vent est dans la cheminée. La branche nue du rosier griffe la vitre; jusqu'au 24 juin on a le temps. Février! Les moutons sont au jas, en Crau, et les bergers jouent au loto dans les cafés d'Arles et de Salon. Dors, tu as le temps.

D'autres fois, dans la nuit épaisse, rien n'indiquait la saison. Des souvenirs des juins anciens étaient là vivants autour de moi : le bruit des arrosages de prés, l'odeur des figuiers en sève, les grandes feuilles et le vent. Tout cela léger; j'arrêtais mon haleine. Le silence abusait mon oreille de son éternel bourdon.

J'écrivis une autre lettre à Césaire, un autre mot à Barberousse.

« Attention, je disais, ça va être le temps; on est en mai, j'en ai vu déjà. »

Et Lardeyret revient avec les réponses :

« Ne t'inquiète. »

Un matin, j'arrachais de l'éphéméride la

feuille du 31 mai; le mois de juin était là-dessous bien caché comme un lézard vert.

Le premier jour ne bougea pas. Le second jour, un peu inquiet, flotta dans un long vent sous un ciel tout neuf, mais le troisième jour le flot des moutons déborda à la fois des collines du sud et des passes d'ouest, et les grands troupeaux à fronts d'écume s'avancèrent dans le pays.

On m'apporta, en fin de compte, un télégramme, tout ouvert, tout chiffonné, lu au moins par les cent et quelque « Jean » de Manosque. Il était simplement adressé à Monsieur Jean. Il disait : « En avant! » et c'était signé Césaire.

« Oui, je dis à la porteuse de dépêche, oui, c'est pour moi, soyez tranquille, je sais ce que c'est.

— Sûr?

— Sûr! »

Et je pris ma bonne canne courbe. Le ciel jouait à la balle avec ce grand bruit de troupeau et tous les échos des collines tremblaient de bêlements.

Ils avaient bien fait les choses. Barberousse

m'attendait en haut de Saint-Magloire dans le découvert des chênes. Il avait porté sa longue trompe en bois de saule et il en joua un bon coup long et bien soufflé du côté de la poterie.

Il m'expliqua :

« D'abord, c'est pour lui dire : « Tiens-toi prêt »; ensuite c'est pour lui dire : « Sois tranquille, il est là. » Que de soucis ça nous a donnés! »

Et, sur l'aire, l'attelage était tout préparé et sur le point d'aller au large. Césaire était dessus le siège et il tenait à pleins poignets une petite cavale noire et blanche, danseuse de fesses et qui éclaboussait la proue de la charrette d'une longue queue frémissante comme des paquets d'eau. Elle claquait des quatre fers avec impatience.

Ce fut vite fait de s'installer. Barberousse se mit au fond, sur les couvertures; j'avais encore mon caban du grand-père; j'étais à côté du pilote; et cette fois nous emportions avec nous la jeune sorcière aux yeux jaunes.

Le départ fut si subit qu'on fit un « oh! »

tous les quatre; ce cri donna du pointu dans le sensible de la cavale; elle s'élança à pleins reins comme un poisson, et déjà l'écume des herbes jaillissait au long de notre bord.

Cette première nage dans les ressacs de la colline, je m'en souviendrai toute ma vie. Dans tout ce versant sauvage qui tombe vers Saint-Michel et au travers duquel Césaire nous conduisait en raccourci, notre charrette, trop de haut bord donnait de la bande à droite et à gauche vers les vagues du thym; on se cramponnait aux étais. Tantôt d'un : « Baissez-vous! » Césaire nous couchait à fond de cale et nous passions bride abattue à travers l'écume d'un châtaignier, dans les branches basses.

Tantôt, au milieu d'un plat pays, un peu rassurée par notre sillage tendu comme un fil, une haute vague nous soulevait à nous faire toucher le ciel; on retombait, de guingois, toutes chevilles craquantes et je me disais : « En cas de naufrage, tu sautes sur le timon et tu restes là! »

Enfin, les deux roues tombèrent d'aplomb sur le dur d'une route. Césaire arrêta la cavale, s'essuya le front, reprit la rêne et demanda :

« Quelle heure? »

Oh! cette fois nous étions riches en instruments de bord.

Barberousse fouilla dans son gilet, tira sa grosse montre, la fit sonner :

« Huit heures, dit-il.

— Alors, ça va, dit Césaire; alors, *avanti!* »

Et de la ganse des guides, il cingla les fesses de la cavale.

La nuit venait.

On fendit le village d'Ongles, d'un trot-galop allongé et solide; la borne du tournant éclata d'étincelles sous le fer de notre roue. On sortit du café pour regarder notre poussière. De là, on contourna une corne de Lure, dans un vallon qui rebroussa contre notre erre sa haute vague de roches nues. A Saint-Etienne, on s'arrêta sous les platanes pour allumer notre lanterne : c'était tout simplement une bouteille crevée du cul et une bougie engoulée là-dedans. Barberousse tenait ça à bout de bras au-dessus de nous.

On longeait Lure, mais par une route à serpents accrochée dans tous les contours de la haute colline comme des lacets de lierre. Le souffle des hautes-terres nous prenait par le travers par brusques coups de vent froids et solides comme des blocs de glace. Barberousse défendait la bougie avec tout son corps, puis il étendit une aile de sa houppelande et alors on entendit claquer la voile et la cavale galopa. Mon ventre était tout chatouillé de ressauts; la houle du grand large nous portait dans le déroulement de ses vagues de terre.

Un détour nous mit face au vent dans l'embouchure d'un val : la bougie s'éteignit; la jument, qui avait reçu un coup de vent en pleins naseaux, s'arrêta, butée des quatre fers, contre l'ombre. Césaire louvoya doucement dans la nuit. Je me cramponais aux ridelles.

« Prépare les allumettes. »

Le vent nous frappa sur les flancs; deux tours de roues, puis il nous frappa en plein dos.

« Allume. »

Et l'on fit de nouveau front à la galopade.

On avait dépassé Cruis.

« L'heure? demanda Césaire.

— Tiens la bougie, petite. »

Barberousse se fouilla et fit sonner sa montre. On ne s'était pas arrêté de galoper.

« Un peu plus de neuf heures.

— Ça va. *Avanti!*

— Donne la bougie, petite. »

Une dernière colline nous jeta dans le plein du ciel.

« Oh! crièrent Césaire et Barberousse.

— Oh! criais-je.

— Oh! dit doucement la petite fille contre mon oreille. »

La jument, tenue dur, se cabra comme de l'eau battue. On était arrivé!

A la perte de la vue, sur la terre noire, clapotait la lourde mer des troupeaux. Ça commençait là, sous les pieds de la cavale et c'était étendu sur tout le plein de Mallefougasse. Malgré la grande nuit, on y voyait; toutes les étoiles étaient descendues sur la terre et c'étaient les yeux des moutons éclairés par les feux de garde, par les quatre feux du jeu, par tous les feux de la Saint-Jean que le pays allumait depuis ici jusqu'aux lointaines montagnes des Mées, et de Peyruis, et de Saint-Auban, et de Digne. On entendait siffler les derniers bergers arrivants et sonner les campanes des béliers et des mulets, et, loin, là-bas, vers Sisteron, des touffes de chiens hurlaient, cou tendu, vers la nuit sans lune...

« Pause! Pause! Pause! » chantaient les bergers aux moutons.

Des hommes passaient en courant, la main levée vers les troupeaux neufs; les bêtes se couchaient en paquets autour d'eux; on les entendait s'agenouiller sur la terre en écrasant les hysopes. Toute la lourde pâte des troupeaux tournait lentement comme un tourbillon de boue.

« Fédo, Fédo », chantaient les bergers, pour rassurer les brebis.

Sur la crête de la colline on essayait les harpes éoliennes; on serrait les clavettes; une corde se rompit et le gémissement courut avec le vent jusque dans le profond du pays, vers les terres basses de Durance. Des voix d'hommes réclamèrent des cordes. Les joueurs de tympon soufflaient dans leurs gammes claires, puis soufflaient aux notes d'alarme et un frémissement de peur comme le vent sur la mer relevait des vagues de bêtes. Des bergerots portaient des bennes d'eau; l'un d'eux, avec la lanterne, marchait à reculons, éclairant la route. Un petit harmonica perdu jouait dans un genévrier.

« Téou, Téou, Téou! » chantaient les bergers pour apaiser les bêtes.

Tout se tut.

Le « Téou », le mot de paix, se chanta dans toute l'étendue. Après, il y eut le silence, puis la voix de quelques chefs, puis le grand silence.

On essaya le sifflet du conducteur de musique. Les harpes éoliennes grondèrent. On siffla : le silence.

Césaire avait attaché la cavale; pour plus de sûreté, il lui avait entravé les pieds dans une couverture.

« Un soir comme ça, on ne sait jamais. »

On marcha vers l'aire du jeu.

Tous les bergers étaient assis autour. Il y avait si peu de bruit malgré deux cents hommes et cent mille bêtes qu'on nous entendit venir. On tourna la tête vers nous, on nous fit place. Je m'accroupis dans les pans de mon caban. Mes bras tremblaient; je sortis mon cahier de papier et mes crayons. Barberousse me donna une planche pour m'appuyer.

Quatre grands feux éclairaient et délimitaient la large scène d'herbe et de terre.

En plein milieu, il y avait un homme debout. Il attendait le flux de son cœur. Je me souviens : c'était un grand, un maigre, un mangeur de « regardelle », un mangeur de visions. Son nez faisait le bec d'oiseau sous la haute flamme des feux. Il était coiffé du foulard rouge noué à la bohémienne.

Soudain, il leva sa main pour saluer la nuit. Un grondement coula des harpes éoliennes. Les flûtes sourdes jouèrent comme des sources.

« *Les mondes,* dit l'homme, *étaient dans le filet du dieu comme des thons dans la madrague...* »

On devait l'entendre jusque sur les autres bords de la terre et du ciel.

IV

On m'a demandé maintes fois — chaque fois que j'ai raconté ce jeu des bergers — si cette cérémonie était de tradition ésotérique. Je ne sais pas, je crois que ce n'est pas une cérémonie. C'est moi qui dis : *jeux* des bergers; eux disent : « On va jouer la comédie. » Malgré tout, il y a le pour et le contre. Pour rencontrer la vérité, il faudrait aller rester avec eux de longs mois à l'alpage, entrer dans leur familiarité, vivre de leur quignon frotté d'ail et participer à ces longs récits des nuits d'été. Si tout fait que rien ne change d'ici à l'an qui vient je démêlerai un beau morceau de blanche laine dans tout ça : j'ai maintenant un ami parmi les véritables chefs de bêtes : c'est Vénérande, le baïle du mas

Saint-Trubat et il est entendu qu'à la saison prochaine j'irai là-haut passer avec lui les gros mois.

Pour moi donc, et pour l'instant donc, je crois que c'est un simple jeu, un amusement, mais un amusement de chefs de bêtes. Tout le reste, tout ce que peut en dire Barberousse qui se fait vieux, qui est rêveur et que je sais capable de subir le simple envoûtement d'une fontaine, tout le reste est sous l'ombre des nuages. Il y a bien le Sarde...

Mais, justement, le Sarde, voilà l'explication. Le Sarde — cet homme maigre à foulard rouge d'où tout le jeu part en éclaboussement comme l'eau d'un chien qui se secoue —, le Sarde, c'est l'auteur. C'est l'accoucheur d'images. C'est d'ailleurs, je sais, un remarquable accoucheur de brebis difficiles; il a les mains longues et nerveuses, fines comme des petits poissons et, s'il fallait lui donner tous les agneaux qu'il a menés à la vie dans la rigole de ses deux mains, il serait plus riche que les grands patrons. Pour les images, pour les jeux, c'est pareil. Ils sont tous là autour de lui, lourdement engrossés de rêves, du beau tortillon du serpent des étoiles, et lui, au milieu, il est l'accoucheur du jeu; c'est lui qui fait naître le jeu et qui le fait naître chaque fois tout neuf, car chaque fois il naît tout neuf et, d'année en année, on ne répète jamais les mêmes mots, jamais les mêmes rôles et, chaque fois, le drame a cette odeur de sang et de sel des agneaux naissants parce que tout le monde invente. Le Sarde, lui, qui est le récitant, garde peut-être dans sa main un fil conducteur, toujours le même, c'est possible, mais ceux-là d'autour, ces bergers qui sont comme de l'ombre assise et qu'on ne voit pas jusqu'au moment où ils s'avancent entre les feux, ces bergers ne sont jamais les mêmes. Vous me direz ce que m'a dit Barberousse.

« Celui-là, ça fait cinq ans qu'il joue le jeu. Celui-là, ça fait deux fois que je le vois. Ceux-là sont nouveaux, mais ce sont des aides du baïle Glaude et il a si bonne langue qu'il a dû leur apprendre leurs dictons.

— Non, Barberousse, le même berger ne s'assoit jamais deux fois au bord du jeu. Tu me dis : celui-là ça fait cinq ans, oui, mais il est de cinq ans plus vieux, de cinq ans plus riche. Il en a fait, depuis, des expériences sur le large dos du monde, il n'est pas le même. Il ne dira pas ce qu'il a dit il y a cinq ans, ni ce qu'il a dit l'année dernière, mais tout ce qui est appris de l'an neuf. Les rêves, tu le sais, Barberousse, c'est les économies du berger. Et, tout à l'heure, il dépensera les économies de cette année comme un garçon qui fait la fête.

« Veux-tu que je te le dise?

« Un beau jour — une belle nuit plutôt —, le Sarde viendra encore lever la main en salut, et puis il y aura peut-être dans le large rond d'ombre un bergerot, oui, Barberousse, un bergerot, plein, celui-là, du grand débord. Et quand on appellera : « la mer », ou « le fleuve », ou « le bois », c'est le bergerot qui s'avancera pour parler. Et vous écouterez tous, car vous êtes des maîtres et vous savez ce qui est beau; car vous êtes chefs de bêtes et vous savez être en premier votre chef à vous-mêmes quand votre amour-propre ou votre méchanceté veut prendre le dessus. Et le bergerot parlera tant bien qu'il deviendra le maître des futurs jeux; le Sarde lui donnera le casque de laine rouge et le grand troupeau de vos rêves coulera derrière lui, vers d'autres pâtures. »

A voir cependant ce plateau de Mallefougasse, ces terres noires griffées par la pluie, ces roches qu'un rabot de sable a usées en tables plates, ces arbres à manteau de bure bombant le dos sous la colère du ciel, cette solitude, cette grande voix, l'esprit est aussitôt saisi par la noble tristesse et le souvenir des hauts-lieux.

L'herbe est d'un or vert et, quand le vent la rebrousse, elle découvre son vieux dessous aussi vieux que la terre. Des schistes bleus tout nus craquent sous le soleil en soubresauts et ruissellent brusquement jusqu'à la route en faisant sonner tous les échos; puis tout se tait; le flot de pierre s'arrête; le schiste craque. Mallefougasse vit d'une vie que n'est pas végétale; les arbres qui sont là ont appris à se taire. Il vit librement la vie de la terre et des pierres. Sous le léger rideau de chair, des rochers bleus, des argilières, de pantelantes paupières de sable, palpite l'intérieur du monde.

Tout ici est religion : voilà, dans l'herbe écrasée, la litière des dieux!

Le petit village est fait de quatre maisons couchées à ras du sol et d'une grange qu'on appelle « la guetteuse » parce qu'elle hausse au-dessus d'un talus la reniflade rusée de sa fenêtre à poulie. Les autres murs sont plats et sans fenêtres. Les pierres, sans enduit, sont rongées par le vent; les portes ont des verrous épais, tout luisants d'huile et qui courent dans leurs gâches comme de gros rats noirs, silencieux et solides. Les gens d'ici ont ce long regard sans tremblement qui va jusqu'au dur des choses à travers des hommes, des femmes, des collines et des épaisseurs du ciel.

Tout est donc prêt sur cette haute avancée de la terre pour servir d'autel et de pierre du sacrifice et, cependant, pour des raisons plus simples, les bergers l'ont choisie.

En Crau, n'est-ce pas, les moutons sont au large, puis, les voilà au gros du chaud dans des routes étroites, serrés en tas, coulant en corps épais comme de l'eau, sans jamais plus d'air autour d'eux.

Ainsi, ils vont en travers des pays où la terre vaut cher, où, dans des bouts gros comme des timbres on fait des sous avec des poireaux, du persil, des pêchers, des abricotiers, de la vigne. Allez vous étendre là-dedans! On vous fera péter le fusil aux oreilles. Alors, on va son train tout plan d'une poussière à l'autre, sans jamais dépasser les poteaux du télégraphe; n'empêche qu'on n'a qu'un désir : arriver à la terre, oui, la terre! Celle des poireaux, du persil, des pêchers, ça n'est plus la terre; c'est tant mélangé de poudrette, de fumier, de crottins et de bouse que c'en est devenu de la pourriture d'homme, grand bien vous fasse! Non, la terre, la grande, la nôtre, celle qui, après le déluge, est restée là, elle s'est séchée et voilà tout, celle où il y a de la place pour tout le monde.

Et Mallefougasse, c'est ça!

En plus, quand on est là, on en est à un point où ce qu'on a fait comme route, ça se compte en plus de cent kilomètres, et ce qui reste à faire, ça se compte aussi en plus de cent. Alors, on a le droit au repos; rien ne crie dans vous si vous vous couchez au flanc de la route : c'est une étape; et elle est bien dans notre genre. C'est comme un grand bassin; l'eau des troupeaux s'y étale bien à l'aise, clapote un peu et puis s'endort. Ce qui est le plus beau, c'est le grand large. On ne fait pas attention à cette terre pareille à un morceau de la nuit, aux arbres peureux, aux gestes libres du vent, non, les moutons sont à l'aise. Ils sont là dans le large, baignés d'air de tous les côtés. La sueur des bêtes fume comme si on venait de mettre le feu à la colline. Des abeilles qui sont prisonnières aux laines depuis les ruchers de Châteauneuf se délivrent, volent gauchement dans cet air trop pur et tombent dans la toison des thyms et des absinthes; des brebis accouchent; les mâles s'en vont mettre les trous du museau dans le droit fil de la bise, s'emplissent la cervelle avec le frais du vent jusqu'à en secouer le trop plein dans un éternuement qui les laisse tremblants d'ivresse. Les mauvaises gens sont loin.

Ici, tout est neuf; terre et hommes. On a du vin chez Arnoulas et de l'eau dans sept belles sources. Des sources joufflues comme des filles, tout en bouillons et en chair. Il est vrai que cette eau est de peu d'accueil et qu'elle sourd sans liseron, sans jonc, sans pervenche, sans mousse d'entre les lèvres nues du roc; mais quoi, vous faut-il toujours le papier à collerette? N'êtes-vous pas capable d'aimer l'eau froide pour l'eau froide et croyez-vous qu'on fait tant son discuteur quand on vient de traverser après vingt jours la poussière dressée de toute la terre provençale? L'eau est toute seule dans un ruisseau de schiste bleu; elle est bleue du bleu des bluets; quand elle détord une de ses tresses, elle fait luire son cœur blanc. Voilà pourquoi on a choisi de s'arrêter à Mallefougasse. Nous n'avons pas les mêmes empans pour mesurer la peur. Pour nous, le pays est large, commode, plat, on a du vin chez Arnoulas et de l'eau au vallon des sept, la paix, la joie des pieds : voilà pourquoi!

Et puis, c'est une sorte de retrouvaille. On a parfois des choses à se dire qu'on garde tout un an. On pense : « Tu lui diras ça à Mallefougasse. »

Ainsi, cela a dû naître suivant la pente habituelle.

Les voilà réunis sur le maigre de Mallefougasse, troupeaux harassés, bergers lourds. La nuit est venue. Ils ont allumé un feu. Il n'y a que la nuit pleine d'étoiles, cette terre toute seule dans le ciel, toute bordée de ciel et, comme aux premiers temps du monde, un océan de bêtes autour de quelques hommes. On s'est serré contre le feu. Cette fois-là, il y avait le Sarde. Et celui-là a raconté des histoires sur les étoiles de là-haut, sur la terre de là-dessous; il a raconté pour faire passer la nuit, et aussi parce qu'il a un cœur tout en reflets où bouge l'âme du monde.

La fois d'après on lui a dit : « Sarde, dresse-toi. » Il s'est dressé et, cette fois, il y avait un peu plus de bergers parce que ça s'était répété de pâturage à pâturage avec des : « Ce Sarde, quand même, si tu l'avais entendu! »

La fois d'après on s'est dit là autour : « Si on jouait la comédie? Le Sarde conduirait, nous, on parlerait à notre tour; qu'est-ce que tu en dis, Sarde? » Et on a fait comme ça, et ça a bien marché parce que, dans tous ces bergers, l'âme de l'univers est comme un rayon de soleil dans l'eau.

La fois d'après, ou peut-être cette fois-là, dans la joie, on a roucoulé de la flûte dessous les paroles.

Et voilà, à partir de ce moment-là, l'enfant-poème pouvait marcher gaillard; il était de bonne santé.

*

La scène, je l'ai dit, c'est une aire carrée de vingt pas à peu près; à chaque angle est un feu qui danse sur des ramées de pins, de cèdres, des tas de thym secs. Quatre bergers sont aux provisions de bois et d'herbe et, parfois, quand la lueur tombe, ils fouettent les braises à grands coups de feuillages. Ce sont des acteurs qui comptent, ceux-là! D'abord, c'est d'eux que vient la lumière et c'est d'eux que vient le parfum, cette essence de résine et de genévriers brûlés qui épaissit l'air et s'en va par-delà Ganagobie inquiéter les villages des bois.

Le drame est accompagné de musique : une musique à trois instruments. Je ne parlerai pas de cet instrument premier d'où tout rejaillit, d'où toute musique a coulé, la libre chanteuse terre qui est là tout autour avec son poids de bêtes, de troupeaux, d'arbres, d'herbe, de vent, de sources, de Durance grondant au fond de la vallée. Les autres sont : la harpe éolienne, le tympon et la gargoulette. Les harpes éoliennes, j'ai dit comment on les faisait, comment l'homme se mariait avec elles pour en jouer; c'est à proprement parler jouer de l'arbre et du vent. Mais, le mélange de ce doigté humain et de ce souffle, maître du temps et galopeur d'espace, fait une voix de dieu qui va jusqu'au fond harmonieux de l'horreur.

C'est une invention de berger. Une de ces harpes secrètes et solitaires déchaîna la peur sur tout un pays de Queyras, l'an 12 ou 13, un peu avant la guerre. C'était un village de simples, porteurs de goitres pesants comme des melons et, pour cela, regardant terre de la tête baissée. Ce pays est sans eau; le village bâti sur le roc est pertuisé en son sous-sol de trois longs puits sombres et grondeurs. L'ouverture des puits enchappée d'un capuchon de pierre reste fermée à la grosse clef tout le jour. Le soir seulement on ouvre le portillon, juste le temps aux femmes de tirer les seilles, d'emplir les seaux, de se rougir les mains à la rouille des chaînes, de se mouiller les pieds à l'eau fraîche, de rire... Ce berger-là, dit-on, voulut boire et ne le put : on lui dit que l'heure était passée. Il discuta. Discussion avec homme à goitre se termine toujours par des hurlements et des batailles à coups de pierres. Notre berger s'en remonta sur son penchant à sa pâture et là fit sa harpe. Il prétendit, après coup, l'avoir faite pour sa distraction, ayant oublié de bon oubli l'étoile qu'un bout de silex avait fait éclater à son front. Le sûr est que cette harpe, si elle fut faite de hasard, le hasard est un grand maître, car il la fit dans la juste sonorité d'un flux d'eau : on aurait dit chanson de grande source. En plus de ça, n'ayant pas de pin lyre à cette hauteur, le berger l'avait tendue dans les branches d'un chêne; elle était donc beaucoup plus grande que d'habitude et elle entrait plus profondément dans la terre par les longues racines en raves.

A la première musique, voilà tout mon village qui tend l'oreille, grogne, prend seaux et bennes, seillons, cruches, gargoules et dévale vers le vallon où l'eau semblait couler. Le vent seul coulait dans la combe nue. Ils se frottaient les yeux, ils s'interrogeaient, ils regardaient de droite et de gauche sans rien voir et cependant le bruit de l'eau était autour d'eux. Au bord de ce val sec, tranchant de ses pierres comme un couteau chaud, ils s'énervèrent tant dans leur désir d'eau vive, sous cette chanson de la harpe, qu'ils se mirent à imiter au plein de l'air souple les gestes du nageur, se jetant la tête première sur les rochers, s'allongeant dans les épines, s'écorchant, se griffant, se battant, s'arrachant le goitre, sanglants, ivres de désespoir et de désir. Le soir vint où l'on devait ouvrir les puits : on les ouvrit et de là sortit, plus faible mais plus noire aussi, cette chanson d'eau qui venait chanter là par le sortilège des grandes racines du chêne enfoncé profond dans le rocher.

Alors, ce fut le désarroi complet. Ils crurent que leur eau s'en allait par le soudain effondrement de quelque fleuve souterrain; Caliste descendit dans son puits pour toucher l'eau avec la main et ne remonta plus, et tout le village rassemblé sur l'aire qui dominait les fonds de Saint-André se mit à hurler à la mort comme une famille de loups. Notre berger, allé trop loin, s'en tira avec de l'escampette et passa en territoire de Briançon. Des chasseurs de Saint-André trouvèrent la harpe, coupèrent les cordes et la paix revint avec le silence.

C'est donc une musique qu'il faut doser, ne pas trop se servir des cordes sourdes ou bien s'en servir pour partir de là comme d'un palier et s'envoler sur les ailes des notes claires. Les notes sourdes ont la tristesse des chants de colombe; le vent qui n'est pas d'un rond égal comme une barre de fer, mais fait de vagues et d'ondulations, roucoule et module, et si, pour les notes aimables cela fait l'appel des oiseaux, pour les notes sourdes le cœur vous pèse et les nuages semblent de gros pigeons.

Ici, les harpes à vent sont éloignées de l'aire du jeu par au moins mille bons pas. On a été obligé de les établir sur la crête pour leur laisser la vie du vent. Puis, de trop près, elles auraient découpé et tué la voix du récitant. Là-haut, elles sont exactement à leur place et leur musique lointaine est bien la base qu'elle doit être dans le drame.

Il y a cinq harpes; elles sont travaillées par cinq bergers et commandées par un sixième qui reste là à la scène et qui siffle dans ses doigts : une fois pour le silence, deux fois pour le bruit.

Tout le long du drame donc, cette musique des harpes à vent se déroule. Elle ne suit pas les courbes de l'action; elle est lointaine et monotone comme la voix du monde.

Le tympon est cette flûte à neuf tuyaux : flûte de jeux et de détresse. Elle donne une gamme et deux *do* profonds, très graves : un devant la gamme; l'autre derrière. Ces notes sombres sont là toujours prêtes à sonner l'alarme à chaque bout de la chanson.

Quand on ne sait jouer que de la flûte,

on souffle seulement aux sept tuyaux en faisant couler les roseaux devant sa bouche. Cela fait un chant de flûte. Mais, quand on a été habitué au tympon de longue habitude et qu'on sait vraiment jouer de ça, cela met alors du levain à la pâte, croyez-moi. Au beau milieu des chansons, voilà la note grave qui fait sonner tout le noir bassin qu'on a au fond du cœur pour garder la réserve de larmes. Alors, on se souvient en éclair des jours de détresse, les dures montagnes apparaissent, escaladant le ciel comme des ourses et le chant de flûte devient une parole de la vie, un verbe vivant comme le jour, fait à la fois de joie et de tristesse.

On peut reconnaître les vrais joueurs de tympon à deux signes très particuliers. Voilà : quand un berger s'assoit, le chien vient se mettre à côté de lui, les ouailles restent un peu plus loin. Si c'est un joueur de tympon, vous verrez chaque fois un mouton s'approcher, poser sa tête sur les genoux de l'homme et attendre la consolation. Le deuxième signe, c'est qu'un joueur de tympon, quand il est seul, quand il marche seul sur son chemin.

il regarde dix fois, vingt fois derrière lui pour tâcher de voir ce qui est là à le suivre et dont il entend les pas dans sa tête.

Les gargoulettes sont des flûtes à eau. Il y en a de deux sortes. Les unes sont en bois de sureau : on dirait des pipes. Les autres sont en terre vernie; on dirait des cruches et elles imitent le chant des oiseaux.

Avec des petites gargoulettes, on peut très bien aller chasser les cailles ou tous les oiseaux à chants à roulades; ça les imite, ça les appelle; ça fait la femelle à la perfection. Mais, les gargoulettes qui servent aux bergers sont très grosses, leur chant est à la fois un chant d'oiseau et un hennissement de cheval. Dix hommes qui soufflent avec foi dans dix gargoulettes font une musique qui vous change en sel; on a juste le temps de lever les yeux pour chercher dans le ciel le vol du cheval ailé.

L'instrument n'est pas beau : une pipe ou une cruche, et il faut un grand souffle pour émouvoir et crever l'eau. Les joueurs se bandent les joues avec un mouchoir ou un foulard. La musique de la gargoulette a un grand pouvoir sur les animaux; au bout d'un peu, elle les met en plein amour, tant les femelles que les mâles; elle a la force du printemps. D'un homme qui joue de la gargoulette, seul dans la colline, on peut voir les rayons peu après; les traces dans l'herbe et toutes les luttes d'amour des bêtes qui ont entendu. Ça rayonne autour de lui comme des branches de roue.

Voilà donc tout l'orchestre : là-haut, sur la crête, les harpes à vent; ici, au bord de la scène des joueurs de tympon et de gargoulette. Cette fois-là, ils étaient douze. Tout est invention, même dans la musique. Ils ne jouent pas des airs du pays; ils s'en vont comme ça sur la sonorité, à l'aventure, à tire d'aile. Avant de commencer, ils disent : « Nous allons vous en faire voir du pays! » Puis ils jouent.

Voilà ce que moi j'ai vu là-dedans : les harpes font le bruit de la terre qui roule sur les routes du ciel : les tympons, le bruit des hommes, la parole et le pas, et le bruit des cœurs battants; les gargoulettes, le bruit des bêtes qui naissent, s'aiment, rugissent et meurent. Tout ça comme si on avait, tout d'un coup, des oreilles de dieu.

Les acteurs, il y a d'abord le Sarde. Celui-là, bon, il est au beau mitan de la scène et c'est lui qui commence. Les autres sont là, mêlés aux spectateurs on n'en a pas désigné d'avance. Ils sont là seulement à se pencher vers les voisins pour leur dire : « Tu vas voir, moi, si je vais parler! »

Le Sarde est au bout de son rouleau; il appelle : « *La Mer* », par exemple. Et, tout d'un coup, c'est un homme qui est près de vous qui se met à répondre. On lui crie : « Dresse-toi, dresse-toi! »

Il se dresse, il va là-bas, il se met en face du Sarde, il répond. Alors seulement, on sait que celui-là qui frottait ses coudes de velours contre votre flanc, c'était « *La Mer* », c'était bien la mer : il en a la voix et l'âme. Quand il a fini, il reste là-bas. Il a pris son rang d'élément. Il y en a même qui ne quitteront jamais ce rang d'élément; ils resteront toute leur vie : *La Mer, Le Fleuve, Le Bois*. On dira « *La Mer* a pris sa pâture à la gauche de Seyne » ou bien « *Le Fleuve* descendra demain », parce qu'un soir ils ont été si bien cette mer et ce fleuve qu'on ne peut plus désormais les appeler du nom de leur père, mais seulement du nom de ce qu'ils sont.

Celui qui a fini de parler reste là avec le Sarde. Un autre vient, parle, puis se tait et, alors, il prend la main de l'homme qui était là avant lui et il attend. A la fin du jeu, il y a toute une guirlande de grands hommes de bure se tenant par la main.

Les jeux de scène sont des pas et des saluts : des pas pour s'avancer aux jeux, un salut au Sarde. Le reste, c'est la parole qui doit le montrer et l'homme qui parle reste immobile, les bras ballants. A deux ou trois endroits pourtant, des jeux de scène toujours très simples, mais posés au juste sommet du pathétique; on les trouvera indiqués dans la traduction du drame aux pages suivantes.

Le texte écrit présente à la traduction un chaos de mots hérissés et tragiques. Tragiques, parce que j'en sens toute la beauté serrée et que je suis devant eux sans espoir.

La langue est l'espèce la plus sauvage des jargons de mer, faite de provençal, de génois, de corse, de sarde, de niçois, de vieux français, de piémontais et de mots inventés sur place pour le besoin immédiat. C'est un instrument merveilleux pour le drame épique : les cris et les hurlements même peuvent être de longs récits; l'harmonie imitative est telle que les gestes sont inutiles et qu'à l'auditeur stupéfait apparaissent soudain : des processions de planètes, le balancement de la mer, la course mouillée de la terre qui perd ses océans dans l'espace. Je le dis pour faire venir l'eau à la bouche, mais on ne trouvera rien de tout ça dans ma traduction; j'ai fait mon possible pour la donner dans un français très faux, mais la langue des hommes libres est une bête bondissante et, là, j'ai seulement un peu écarté les barreaux de la cage.

Enfin, on m'excusera.

V

La nuit. Tout le tour de l'horizon est mangé par de lointains feux de Saint-Jean.

Le plateau de Mallefougasse. Quatre feux aux angles d'un carré de terre rase. A côté de chaque flamme, un homme est debout, un lourd rameau de feuilles à la main. Autour de cette aire éclairée, la nuit, et juste au bord de la nuit, comme les bouillons d'une écume, les bergers sont assis dans leurs cabans, leurs houppelandes, leurs grosses vestes de velours.

Le Sarde. Il se dresse. Il regarde à droite, et puis à gauche et, en même temps, c'est le silence à droite et puis à gauche.

« *Alors, on commence?* »

Juste à ce moment, sans autre commandement que ce silence, le vent descend, travaillé par les harpes. Les flûtes se mettent à jouer le bruit d'un homme qui marche dans la mer.

Le Sarde. — (*Il s'avance au milieu de l'aire; dresse la main en salut.*) ,

Ecoutez, bergers :

Les mondes étaient dans le filet[1] *du dieu comme des thons dans la madrague :*

Des coups de queue et de l'écume; un bruit qui sonnait en faisant partir du vent de chaque côté.

Le dieu avait du ciel jusqu'aux genoux.

De temps en temps, il se penchait, il prenait du ciel dans ses mains; ça lui coulait entre les doigts. C'était blanc comme du lait. C'était plein de bêtes comme un gros ruisseau de fourmis. Et, là-dedans, des images s'éclairaient puis s'éteignaient comme les choses qui vivent dans les rêves.

Le dieu se lavait tout le corps avec du ciel.

1. *Le filet.* J'ai traduit par *filet* le mot *baragne* qui, en réalité veut dire *haie.* Haie fleurie, haie que le dieu a semée dans le ciel et derrière laquelle verdiront les vergers qui ne meurent pas. Mais, la fin de la phrase m'autorisait à traduire *baragne* par *filet.* A moins que l'on n'imagine une haie d'algues, un *filet* fait avec les grandes algues de la naissance du monde.

Doucement pour s'habituer au froid de la vie. Il avait le ventre sensible. Parce que tout se faisait dans son ventre.

Après, il se mit à marcher dans le ciel jusqu'à l'endroit où c'était plus profond que lui, où il n'avait plus pied, et il se mit à nager. Sa grande main se levait et plongeait comme une cuiller; ses grands pieds piochaient comme des pioches avec les ongles en avant. Il était tout suivi d'un remous de longues herbes arrachées. Après un peu, il ne fut plus, loin, là-bas, que comme une île avec de l'écume.

Il s'en allait parce que le commencement était fini.

*

Du sang! Des caillots de sang!

La terre est accroupie[1] *dans le ventre du ciel comme un enfant dans sa mère.*

1. *Accroupie.* Le texte dit : *ajoucado din la mamado dou ciel.* Une de ces duretés de silex qui, en français, fait eau boueuse. Je la vois, moi. Je l'ai vue moi, dès que le Sarde a parlé. Il n'a pas fait de geste : j'ai vu la terre roulée en boule, les genoux au ventre, la tête aux genoux, le nez touchant la poitrine, accroupie comme toutes les bêtes qui vont naître.

Elle est dans du sang et des boyaux. Elle entend la vie, tout autour, qui ronfle comme du feu.

Une veine bleue entre comme un serpent dans sa tête. C'est par là qu'elle se remplit de sa charité.

Une artère rouge entre comme un serpent dans sa poitrine. C'est par là qu'elle se remplit de sa méchanceté.

Elle s'épaissit. Plus elle est épaisse, plus elle a de lumière.

Enfin, elle pèse contre le portail; elle veut naître; elle est lourde de la raison de sa semence.

Tout d'un coup, elle naît dans un jet de feu et elle s'envole.

C'est la jeunesse de la terre!

Elle roule dans l'univers comme dans de l'herbe. Elle est toute mouillée par de grandes eaux fleuries. Elle fume de sueur comme un cheval qui a galopé au soleil.

Elle traîne derrière elle une belle odeur de lait. On l'entend rire de loin en écrase-noix.

Sa peau est en train de sécher. Il y a

des couleurs qui coulent en rond autour d'elle comme des arcs-en-ciel. Quand une plaque de sa peau est sèche, elle devient verte.

C'est la jeunesse de la terre!

C'est le grand dimanche!

Tous les arbres ont leurs fleurs à la fois. Il y a sur les eaux de larges marais de courges bleues. Des rochers passent, chargés de vignes qui traînent comme des poils; des petites pierres rondes courent sous les herbes. Toutes les fleurs ont la santé du rouge. Les feuilles sont épaisses comme le bras. On entend les fruits qui mûrissent tous ensemble. Les grosses courges flottent sur la mer. Chaque fois que la terre bouge, des troupeaux de fruits mûrs courent de tous les côtés dans les plis de la colline. Ça commence à sentir le sucre. Les collines s'en vont tout doucement, courbées sous ce grand poids. Les plaines de sable essaient de soulever le fardeau des herbes mûres et puis restent toutes plates. Les montagnes pleurent de l'eau. Des fleurs aigres poussent dans le fond des ruisseaux. Les rochers s'arrêtent, extasiés. Cette odeur du dimanche qui est de la soupe à la tomate[1]*!*

Tout ce temps-là, le Sarde est resté avec sa main dressée en salut et la musique a fait ce bruit d'eau et de terre qui s'éboulent. On a vu marcher les collines; on a entendu leurs gros pieds qui clapotaient dans la boue, dans la pourriture des ruisseaux de fruits. Maintenant, le récitant laisse retomber le salut de son bras. Les harpes éoliennes sont toutes seules à s'essayer dans le grand dimanche. C'est un bruit de draps claquants à l'étendoir; des tourbillons d'hirondelles; le vent venu de loin sur une longue glissade et qui se retient maintenant à pleine main dans les arbres.

1. Cette odeur... etc. Le dimanche matin, les ménagères des petits villages font de la soupe à la tomate. Des tomates coupées en deux et nettoyées des graines — appropriées, comme elles disent —, de l'eau, une burette d'huile, une friture d'oignons fins. Tout ça sur la marmite de terre bout sur le feu. Quand arrive onze heures, toutes les marmites se mettent à bouillir et le village tout entier sent la soupe à la tomate. Le berger est arrivé au matin et, tout lourd de fatigue et de poussière, il se repose sous les platanes. Cette odeur de soupe à la tomate est pour lui l'odeur du dimanche, du beau dimanche où l'on a le jour libre, une maison, une table propre, une cheminée fraîche, lavée, bleue du bleu à la pierre et lavandée à la planche de l'armoire; du beau dimanche où l'on a sa ménagère prête à s'allonger contre soi, avec toute sa chair, où l'on n'est plus berger, ce marin de terre, ce coureur d'escale, cet errant... Tout ça en rêve, car le berger est seul sous les platanes et le village est à d'autres.

Commence une musique sèche, faite au tympon seulement : des essais de joie à la gamme et les grosses notes sonnant comme des appels; c'est que le Sarde a fait avec les bras comme un battement d'ailes : il a changé de personnage. Il n'est plus le récitant anonyme, il est le récitant-terre. Il est la terre, il va désormais nous dire son inquiétude; le drame vient.

LE SARDE. — *Les grandes herbes ont mangé toute ma force. Je m'en suis aperçu, parce que j'ai voulu faire un saut dans le ciel et je n'ai pu, et je reste là, planté, sans force.*

J'ai trop laissé tous ces beaux arbres. Déjà tout ce qui, sur moi, courait et dansait, les collines et les montagnes, et les hautes roches, tout ça s'est arrêté, entravé de forêts et de broussailles.

Ah! j'ai voulu aller plus loin et je n'ai pas pu, et je me tourne, et je me retourne, mais c'est cramponné dans moi par des racines crochues. Je suis comme une pomme toute moisie.

Les étés sont venus sur moi comme de

grosses abeilles, et ils ont pompé mon humide. Ils ne bougeaient pas. Ils étaient sur moi, ailes ouvertes.

Je le savais : j'avais vu les grands marais de courges se flétrir sur les eaux. Les courges s'en allaient et puis, d'un coup, elles plongeaient au fond de l'eau. Et puis, d'autres fois, je voyais monter des bulles, et puis, d'autres fois, toute l'eau qui bougeait.

L'essaim des étés a bu presque toute la belle épaisseur de l'eau. Alors, j'ai vu le dos du grand serpent.

Il y a ce grand serpent qui est une bête de la boue. Puis il y a ceux-là qui ont quatre pieds et qui sont faits sur le modèle du ciel parce qu'ils ont des mamelles où on peut boire. Il y en a un qui est presque rien qu'une bouche; il avale des grandes platées de sapins et de bouleaux et toute une cerisaie avec la terre de dessous, couverte d'herbe et d'ombre. Il y en a beaucoup d'autres.

Et j'ai été plus légère d'herbe, mais j'ai été plus lourde de viande et je me suis enfoncée dans le ciel comme un plomb de sonde parce que toutes ces bêtes s'enjambaient, se mon-

taient dessus, faisaient des petits qui faisaient des petits.

Et puis, d'une belle fois, je me suis arrêtée à flotter parce que les bêtes s'étaient mises à manger de la viande. Il y en avait qui mangeaient de l'herbe et d'autres qui mangeaient les bêtes qui mangeaient de l'herbe. Ça a fait l'équilibre.

Et je suis sur l'équilibre.

Mais, maintenant, cette corde d'équilibre, je la sens encore toute relâchée, et elle balance. Il est arrivé autre chose. Ah! Quel souci d'avoir une peau et un ventre!

Je suis bien inquiète parce que celui-là, on m'a dit qu'il voulait commander.

Et alors, il est petit; je fais monter, descendre mes sourcils et je gonfle mes yeux, et je les tourne, et je les retourne : je ne vois rien.

Pourtant, cette corde d'équilibre balance. Il faut que je demande...

Visiblement, depuis qu'il est devenu le récitant-terre, le Sarde s'est dépêché pour arriver à ces mots par lesquels le drame s'ouvre. Au début, il a un peu fignolé. Là, il a abandonné ses images au fur et à mesure. Il a parlé des étés comme des abeilles. J'ai revu le Sarde peu après; il m'a dit sur les étés de très belles choses : l'été qui nous coiffe avec un essaim; l'été qui couvre la terre avec une peau toute chaude écorchée.

D'ailleurs, tout le cercle des bergers s'était mis à parler et j'entendais près de moi des : « Qu'est-ce que tu diras, toi? » Après : « Il faut que je demande », le Sarde est resté un moment sans rien dire. Toute la musique s'est arrêtée.

LE SARDE. — (Il appelle) :

La Mer!

Rien. Le silence. Des bergers qui se serrent les uns contre les autres comme des moutons qui ont peur.

LE SARDE. — (D'une autre voix naturelle) :

Alors, il n'y a personne qui fait la mer?

Là-bas, dans le fond, il y a dans un groupe comme des bouillons d'une petite dispute et on entend des « Vas-y » à voix basse.

Il y va.

C'est un berger court et gras. Il fait deux ou trois pas, puis il se retourne et il jette à la volée vers ses amis son grand chapeau de feutre. Il est chauve : deux petites ailes de cheveux blancs au-dessus des oreilles.

J'ai su, après, qu'il s'appelait Glodion et qu'il est de Le Bachas, un pays du plein désert : rien que des pierres, rien que des pierres et des chardons.

GLODION. — *C'est moi, la Mer!*

Le Sarde et lui se font face comme deux hommes qui vont danser.

LE SARDE. — *Mer.*

Dis-moi si tu sais ce qui m'inquiète.

Voilà mon équilibre qui fait la balançoire.

Qui sait où je vais aller encore?

Ça allait mieux au temps de ma jeunesse.

Mais voilà que les soucis sont arrivés.

Et j'ai bien plus peur de ce qui vient que de ce qui est déjà venu.

GLODION. — *Qu'est-ce que tu veux que je dise, moi?*

LE SARDE. — *Dis-moi si tu as vu l'homme.*

GLODION. — *L'homme?*
Arrête-toi un peu de me balancer d'un bord et de l'autre. Tu me fais péter dans des montagnes jusque chez les chèvres; tu me lances du sable plat, à perte de vue, jusque chez les singes.
Attends!
Je n'ai pas le temps de regarder.
L'homme?
Tu veux dire ce poisson qui est tout planté d'herbe comme un gros pré et que tout le violet de ma colère ne peut pas bouger, et qui dort étendu sur le gril de mille de mes vagues?

LE SARDE. — *Peut-être.*
Qu'est-ce qu'il fait ce poisson?
Tu dis qu'il dort sur mille vagues, il est grand alors?

GLODION. — *Oui.*

Il dort justement parce qu'il est trop grand. A quoi ça lui servirait d'aller? D'un coup, il est de ce bord, d'un autre coup il est de l'autre. Il a seulement une grande poche de peau. Quand elle est pleine d'eau, il descend dans mon ombre, vers le frais parce qu'il fait chaud. Quand elle est pleine d'air il remonte, il est sur moi comme un pré d'herbe. Des grands morceaux de glace viennent se planter dans lui et puis ils y fondent.

LE SARDE. — *Non.*

Ce n'est pas celui-là qui m'inquiète, alors, s'il fait que dormir. Cherche mieux.

GLODION. — *Qu'est-ce que je sens en moi? C'est la colère ou bien c'est la grande peine qui me tord dans ses douleurs?*

Le vent a mis son pied tout d'un coup au milieu de moi et voilà que ça m'a fait sauter jusqu'à un nuage.

Ah! cette colère, tu ne sais pas ce que ça peut être mauvais, parce que c'est une colère contre rien.

Ça se gonfle en moi comme un mauvais mal; ça fait une sorte de pus lourd qui dort longtemps au fond de moi.

Puis, tout d'un coup :

A un de ces balancements que tu me fais prendre et où tu me jettes contre mes bords, la colère me déchire.

Et alors, je deviens d'abord pleine de grandes fleurs comme des fleurs élargies de carottes.

Je me gonfle comme des apostumes sur une viande malade.

J'éclate, je gémis, je pleure, je grince de mes grandes dents de sable.

Je me tords et je souffre la grande mort.

LE SARDE. — *C'est parce que sur toi s'est appuyé le froid désespoir de tout l'univers.*

C'est parce qu'il est malheureux que le dieu a fait le monde.

Il a voulu se sortir de lui-même et, chaque fois qu'il pensait à une chose, les formes se mettaient à éclairer tout ce qu'il réfléchissait.

Ainsi, j'ai été conçu dans le ventre du ciel

et toi, mer, tu étais ce côté de moi qui s'appuyait dedans le ciel à la place de son flanc où il a sa bile et son amertume.

Et tu es devenue la bile et l'amertume du monde[1]. *Mais, cherche encore et dis-moi...*

GLODION. — *Quoi?*

Pourquoi te dire et quoi te dire?...

Je sens justement toute cette amertume et je voudrais la répandre dans tout l'univers et que le ciel, cet autre océan qui est au-dessus de moi, devienne amer de la vague jusqu'au fond et qu'il s'en aille jeter du sel sur les plages des étoiles.

Terre, souviens-toi du temps de ta jeunesse, quand tu courais, courge d'eau, dans la grande prairie de la nuit et que, de

1. Là, nous avons dans les deux paroles de Glodion et du Sarde le type même de la chose inventée qui est dans cette représentation et ne sera pas dans la suivante. Glodion s'est nettement et volontairement écarté du sujet pour parler de la colère de la mer. C'est devenu une joute entre lui et le Sarde. On a applaudi les versets sur la colère de la mer. On a applaudi les versets en réponse du Sarde. Souvent, dans le texte du drame, nous trouverons cette joute du récitant et de l'acteur. Au fond, je crois que pour les bergers tout l'intérêt est dans cette lutte de paroles : le Sarde interroge et cherche à embarrasser; l'acteur répond en glissade comme dans une passe de lutte et lance aussi une main prenante sur le gras des chairs. C'est à qui jettera l'autre dans la poussière.

mon épaisseur, je mouillais la large route.

Dans ces quartiers du ciel où, seuls, nous pouvions vivre : moi, la mer; elles, les montagnes, de notre immense vie qui va d'un bord de la vie à l'autre bord, sans arrêt, lentement, lentement, lentement.

Et tu as désiré porter des vies plus rapides, et tu as roulé sur les pentes bleues, et tu as traversé le quartier des fruits, et tu as été dans le ciel comme une boule de sucre, comme un melon mûr.

Je t'entendais rire.

Mais la pente t'a lancée dans la grande région des bêtes et te voilà toute couverte de cette moisissure de sang, et voilà que tu t'inquiètes d'une nouvelle bête, et te voilà comme une fille qui s'est roulée à la paille avec les hommes et qui regarde son ventre.

LE SARDE. — *Là!*

Calme-toi, mer!

Laisse descendre cette haute langue d'eau que tu dresses dans le ciel. Fais-toi plate.

Qui peut savoir jusqu'où le dieu a pensé ma vie?

Qui peut connaître à l'avance toutes les formes[1] *prêtes dans l'ombre et qui ne sont encore que de l'air?*

Cette course, elle était écrite dans les étoiles. Je me suis réjouie avec les fruits; j'ai écouté le beuglement des bêtes et maintenant, voilà devant moi, large ouverte, cette région de l'homme et ma course ne peut pas l'éviter.

Parce que le dieu a attaché dans ma chair cette malédiction : la capacité de produire[2].

Fais-toi plate, mer, fais-toi lisse et dors.

Je vais demander à la montagne.

Montagne!

Comme tout à l'heure un silence. Mais, cette fois, un homme est prêt, s'est dressé et attend. Il respecte l'ordre du jeu; il faut laisser le temps là-haut aux joueurs de harpes éoliennes de comprendre au sifflet que la scène de la mer est finie.

D'ailleurs, ce bruit de mer qui continue

1. *Formes* : poupées.
2. Cette malédiction, etc., mot à mot : ce fumier qui me fait faire des choses.

diminue, puis se tait, coïncide avec les gestes du berger Glodion; il se sépare du Sarde, fait deux pas en arrière et reste là.

Une gargoulette, une seule, joue très lentement le chant de « O bellos montagnos ». Elle en fait une sorte de monstre formidable, plein de cascades d'eau, d'écroulements de glace, de bruit de bise, d'écrasement, de crachement et ça finit dans un silence où craque un petit air de tympon, rien qu'à la gamme, la petite banderolle de musique qui flotte aux lèvres du berger marchant devant les moutons.

LA MONTAGNE. — L'homme s'avance, salue, se place en face du Sarde, comme pour la contredanse.

Terre!

Tu es inquiète?

Parce que quelqu'un est venu regarder au portail et puis, quand tu t'es retournée pour voir, tu n'as vu que le geste rapide de celui-là qui se cachait.

Et maintenant, dans le grand après-midi, tu

sens une présence là-bas derrière les piliers, et tout se trouble autour de toi comme dans un ruisseau quand un gros poisson meurt au fond, en remuant la boue.

Et tu appelles, et tu demandes...

Terre, moi je ne sais pas!

Je ne sais pas, mais j'ai senti ton inquiétude bouger sous mes pieds.

Je l'attendais.

Pendant longtemps j'ai eu ma pâture de solitude et de silence et déjà j'étais attachée par la lourdeur de toutes les herbes, le poids des arbres, cette boue des gros fruits pourris.

J'ai appris à connaître le bruit de la vie des plantes. Un jour, une ombre est venue sur moi, une ombre froide qui m'a traversée lentement.

C'était l'ombre d'un oiseau.

Et j'ai été sous elle plus froide que sous l'ombre de la nuit.

C'est alors que j'ai senti bouger ton inquiétude.

C'est alors que j'ai compris au goût du ciel que nous avions passé le porche qui s'ouvre sur la région des hommes.

Ecoute-moi.

Je ne peux plus bouger et je suis trop haute pour voir en bas.

Mais j'ai envoyé quelqu'un à la découverte.

Il y a déjà un bon moment qu'il est parti; il ne va pas tarder à revenir.

Sans autre appel, un homme s'est dressé, pas très loin de l'endroit où je suis et où j'écris à la volée. Césaire a fait : « Vé, regardez! » et j'ai senti contre moi Barberousse qui se tournait pour voir. La petite fille de Césaire s'appuie à pleine main sur mon genou et se relève. Moi, je reste assis, je ne veux pas déranger ma planche à écrire et mes feuilles et, dans le mouvement de tête de la petite fille, dans son regard, je suis, d'en bas, la marche de celui qui s'avance dans le jeu. J'entends qu'on lui dit : « Qui tu es, toi? » Il répond : « Tu vas voir.» Il est entré dans l'aire du jeu, je le vois. C'est un grand maigre tout rasé. Il boite un peu.

L'HOMME. — *Me voilà. Je suis de retour. Je suis le Fleuve*[1].

GLODION-LA MER (qui jusque-là était resté immobile, s'avance et salue).

Ah! Celui-là, je l'attendais!

Il y a bien longtemps que je t'entends rouler dans les marais.

Enfin, te voilà avec tes arbres morts, avec tes bêtes mortes.

Tu en as écrasé des choses pour venir!

Ah! Terre! Si tu le crois celui-là nous n'avons pas fini de rire.

Il s'est traîné en tapant de la tête de partout comme un serpent aveugle. Il a défoncé des collines, il a entaillé la grande peau des

1. *Je suis le Fleuve.* On a fait : « Ah! » Il n'y a plus eu de musique, sinon le bruit des harpes éoliennes. De l'importance des instruments lointains dans ce genre de spectacle : ils ne participent pas à l'émotion des coups de théâtre et d'eux flue toujours la musique; le drame ainsi est toujours en suspens. Le fleuve et la montagne s'étaient entendus avant la représentation pour ce jeu de scène qui a laissé le Sarde un peu décontenancé sur le moment. Nous voyons tout de suite « La Mer » en profiter pour attaquer le récitant d'une nouvelle improvisation. On comprend par là le mécanisme du renouvellement perpétuel dans ce drame oral.

Le récitant — ici le Sarde — est comme le tenant d'une coupe, d'un titre, d'un flambeau. Tous se liguent pour le lui arracher. Il est seul contre tous.

herbes : c'est un charrieur de choses mortes.
Tout ce qu'il sait c'est un reflet.

Le Sarde dresse la main (Il n'y a plus de musique sauf le bruit des harpes). — *Ne dis pas du mal des reflets!*
Ni de la mort!
L'univers est un globe de reflets.

Glodion-la Mer. — *Oui!*
Mais, ce fleuve qui est devant toi et qui vient te dire : « Moi, je sais! »
Je dis bien, maintenant : il ne connaît pas la valeur des reflets et il les prend et il les quitte; il ne les porte pas.

Le Sarde. — *Il les porte.*
Dans mille fois mille années on retrouvera dans sa boue le reflet de cette petite feuille de saule qui s'est mirée ce jour.
Ce reflet qui est comme un cachet dans de la cire comme une bonne ou une mauvaise pensée qui laisse sa trace.

Le Fleuve. — *Pourquoi essayer de discuter avec la Mer?*

Regarde les bêtes : elles s'avancent, elles reniflent, elles sentent cette odeur de sel; alors elles tournent bride et elles galopent de l'autre côté.

Tu sais comment je l'appelle, moi?

La suante.

Elle est là avec ses grosses mamelles à sauter et à suer.

Moi, les bêtes viennent vers moi et elles boivent.

GLODION-LA MER. — *Elles boivent!*

Je sais.

J'ai entendu les hurlements de celles que tu faisais boire à force dans les détours d'une haute colline. Puis, à force de les faire boire, j'ai entendu le silence.

LE FLEUVE. — *Nous avons des chemins qui sont écrits depuis toujours dans l'écriture des étoiles.*

Et nous avons un travail tout tracé.

Veux-tu que le monde change de place parce que les biches et les cerfs sont là dans le cul-de-sac du rocher?

Oui, elles ont bu et au-delà de leur soif.

Mais il était dit que je devais butter de la tête contre cette roche et faire de cette poche de terre un grand tourbillon.

Ça s'est fait.

Qu'est-ce que mille cerfs dans les rouages du monde?

LE SARDE. — *Dis-moi, Fleuve.*

As-tu rencontré l'homme?

LE FLEUVE. — *J'ai rencontré ce qu'il a laissé.*

Voilà :

Tu sais que je suis fait de ciel; tu peux me croire. En descendant de la montagne, je me suis embarrassé dans une large forêt et j'ai cherché longtemps mon droit fil, et j'ai dormi là, à plat, sous les arbres, et j'ai été mangé par les grosses mouches vertes.

Là, je suis resté longtemps à entasser mes muscles en pure perte. Tous les jours, ma chair se gonflait un peu plus le long des écorces, mais c'était tout.

Les arbres se sont couchés sur moi; de longues herbes ont poussé à travers moi comme à travers un serpent mort et je me suis mis à sentir mauvais.

C'était une forêt montagnarde et, à partir d'un certain endroit, elle était penchée sur l'escalier de la montagne.

Quand je l'ai su, au pli de l'herbe, j'ai gonflé ma tête. C'est devenu rond et luisant, et tout mon poids, toute ma force gonflaient ma tête. Elle est devenue comme une de ces grosses gouttes qui sont les étoiles; elle a pesé, elle a arraché, elle a fait, à la fin, le saut jusque vers cette large plaine mamelonnée et vert-de-gris, comme un vieux chaudron, et tout mon corps a suivi.

Pendant le saut, j'ai vu courir les grands troupeaux de bêtes et, par là-bas devant, une bête qui marchait sur les deux pattes de derrière.

Et j'ai lancé mes grands bras de tous les côtés, et j'ai arraché des poignées de grands arbres, et j'ai vu des loups qui montaient dans les chênes et des chamois qui couraient dans l'herbe plate avec le trot régulier des che-

vaux, des ours épais qui sautaient, légers comme les bulles sur les marais, des juments et des forêts de poulains serrés à ne plus voir que le dos et les têtes, et tout ça tremblant comme des feuillées au milieu du vent.

Et j'ai forcé mes pas pour rattraper une large forêt qui fuyait devant moi. C'étaient des cerfs branchus et tant de biches que ça semblait des nuages que le vent pousse. Il y avait au fond du monde une haute colline rouge et elle barrait la route et moi j'allais contre avec toute la force de mon front blanc et de mon idée.

C'est de cela que tout à l'heure la Mer a dit son mot, son mot d'amertume comme il est de mode pour ceux qui ont des lèvres vertes et des langues de sel. C'est vrai, j'ai fait boire la grande forêt des cerfs, mais, écoute, Mer, et apprends, Mer, ce qui est la loi et le bel équilibre :

Ils se sont tournés vers moi et, front contre front, on a lutté.

Moi, avec ma tête bleue toute molle. Eux avec leur tête de pierre et ces branches pointues qui se déploient au-dessus d'eux comme les rameaux des chênes.

Et j'ai commencé par monter sur les biches et sur les faons plus mous que les molles branches neuves du figuier et j'ai tassé tout ça sous moi tant que j'ai senti le tressaillement du sang.

Enfin, de dessus cette estrade, j'ai attaqué les cerfs et je me reculais, puis je tapais de pleine tête et, chaque fois, j'étais déchiré, et l'eau pleurait entre les cornes des cerfs et ils secouaient leurs têtes avec colère et ils retroussaient leurs babines, et ils mordaient dans moi à dents nues, et tout n'était plus qu'écume et sueur.

Et puis, je les ai abattus comme des grands arbres et, au fond de moi, ils ont fait de la boue.

C'est la loi.

Est-ce moi qui t'apprendrai, Mer, ce qu'est la boue, toi qui as vu ton âpre verdure fleurir de vie, à l'époque où la vie est descendue sur la terre comme une graine, à l'époque où la terre est entrée par cette porte du ciel dans les régions où la vie est permise. Toi qui as vu cette âpre boue de tes bords se soulever comme un dos de serpent et jeter en éclats toutes les bêtes dans le monde[1].

Terre!

C'était un soir.

Et je n'avais plus de colère, plus de bataille, et je coulais.

Le soir était là; je traversais à la paisible une large forêt bleue et tout le ciel chantait de nos deux chansons.

Sur un de mes bords abaissés, il y avait des traces de bêtes. Et, au milieu d'elles, la trace de l'homme.

LE SARDE (il lève la main pour arrêter le boiteux). — *Arrête, Fleuve, arrête!*

Ah!

Répète ce que tu as dit : la trace de

1. Depuis un moment le boiteux qui est le fleuve parle, remué par des transes qui sont là à le remplir et l'agiter. Il a fait des gestes; il a bougé les bras.

J'ai su après qu'il est très célèbre parmi les bergers pour son inspiration vivante comme une eau de ruisseau, et qu'il lui arrive de débonder pour des motifs les plus divers, quand il est en tête-à-tête avec des gens, dans la montagne. J'ai deux poésies de lui. C'est : « *O Marie-mamelle* » (un cantique pour son église) et « *Ma vallée sous les chênes* » (une chanson).

l'homme était au milieu des traces de la bête?

LE FLEUVE. — *Oui.*
Et, large, elle s'en allait sous les bois.

LE SARDE. — *Je suis perdu, voilà ma mort.*
Voilà ma mort, à moi la terre vivante!
Jamais plus je ne serai cette grosse bête vautrée dans le ciel.
Mais, je vais paître comme la vache.
Si l'homme est devenu le chef des bêtes.
Parle!

LE FLEUVE. — *Je ne sais pas.*
J'ai vu cette image de pied qui trouait la boue de loin en loin et qui entrait dans le bois.
Mais, je n'ai pas pu la suivre.
Demande à l'arbre.

*

Nous voilà à la poursuite de l'homme. Nous voilà à la poursuite de cette première place que tient le Sarde.

Je ne vais pas, pour maintenant, traduire le reste du drame. J'ai voulu seulement donner de longues scènes suivies pour que l'on voie le déroulement serpentin de l'action. D'ailleurs, cela ne forme pas un tout, un fruit rond bien fermé de ciel tout autour, mais c'est au contraire comme une figue molle, trop mûre d'un côté, perdant en gouttes l'or de son miel, et de l'autre côté, âpre et laiteuse du lait de l'arbre, car les bergers n'ont pas tous la même force poétique et dans les meilleurs flux il y a de l'eau sans goût.

Pour cette première place du Sarde, elle sera tout le long menacée par la Mer. Glodion dira son mot de temps en temps et chaque fois il arrivera en lame de faux au milieu du Sarde inspiré. Tant qu'à la fin il s'entendra dire :

O mer, jalouse de tout ton sel;
De tout ce sel qui te brûle la peau,
Jalouse de toute la verdeur.
Laisse-nous tranquille.

Il serait beau le monde s'il était fait seulement de toi.

Nous serions mous comme un œuf sans coquille,
Et tu perdrais tes poissons dans le ciel.
Tout au long de ta course.

A vrai dire, cette première place du Sarde, cette force qui lance le drame comme une cartouche de poudre, on n'a pas envie de la voir enlever à celui qui la tient. A part le boiteux qui a fait *le fleuve,* les autres bergers ne sont pas de force et, de tout le temps, l'on ne dira rien qui puisse être mis en balance avec le monologue du début, ce que j'appelle « la naissance et la jeunesse de la terre ». Le boiteux même a ses défauts qui ne le font pas désirer : il n'improvise qu'en transes, dans une sorte de fièvre qui fait briller ses yeux dans un vent qui le bouscule, membres épars. Le Sarde reste immobile comme une colonne. Il fait tout juste les saluts; de cette immobilité coule une grande noblesse et quand, à la fin du drame, le récitant resté seul fait quelques gestes essentiels, ils vont d'un seul bond au sommet du tragique.

Voilà la poursuite de l'homme.

L'arbre arrive. Il dit ce qu'il voit du haut de sa tête :

Depuis les bords de ce fleuve-là
jusqu'à l'arbre rouge
par-delà plus de vingt collines qui se montent les unes sur les autres comme des béliers et des brebis.

Il indiquera la route de l'homme, cette trace qui est dans l'herbe : *comme une bave de limace.* Mais à partir de l'arbre rouge il a perdu sa vue dans le ciel.

Seulement, il y a le vent et le voilà venu d'un saut. Lui, à la fin d'une de ses courses, il a rencontré l'homme et il l'a accompagné parce qu'il l'a trouvé :

... point épineux du tout
et souple comme une soie, et bien léger sur les deux ressorts de ses jambes.
Et ses bras sont comme deux ailes qui me chatouillent sans me battre.

Il a accompagné l'homme dans une guette

étrange, pleine de bonds et de glissades à plat ventre, et de courses langue pendante. Enfin, l'homme a trouvé ce qu'il cherchait : sa femelle. Elle était là :

nue, cachée dans l'herbe comme une grenouille.

Et ça a été la chasse anguleuse et rapide comme le bond de l'éclair, puis l'homme a saisi la femelle. Et là, le vent n'a plus rien vu parce que les deux corps se sont traînés sous l'abri des buissons, dans l'herbe.

Le Sarde appelle *l'herbe.*

L'herbe a tout vu et dit tout. Elle le dit, sans peur des mots et des choses. On est tous des hommes, là autour, et ce qui s'accomplit dans l'ombre des buissons, c'est l'acte de vie, aussi simple, aussi pur que le gonflement d'un nuage.

L'herbe a dit un beau mot pour parler des gestes de l'homme; il a dit : « pastéjavo », ce ce qui signifie : « il pétrissait la pâte. »

Et l'herbe a vu la lente vie du couple et ces heures de rêveries où, mieux que les bêtes, ces nouvelles bêtes restent là, immobiles, et :

s'en vont dans la profondeur de l'heure sur un dos de serpent.

Un jour :

Alors, de chaque côté de sa femelle il a creusé deux grands ruisseaux.

Et voilà qu'elle est comme une source,

voilà qu'elle est comme une fontaine d'enfants;

et les enfants ruissellent d'elle comme le flot de la fontaine.

Et les derniers sont encore là à se traîner près d'elle comme des noix fraîches que, déjà sur leurs deux pieds les premiers sont arrivés au porche de la forêt, devant le monde, et dans leurs mains épaisses, ils portent le fruit du feu.

Ce récit de l'herbe a été le sommet de tout le drame. Si un jour le Sarde doit être vaincu, je souhaite — et il le souhaite lui-même — que son remplaçant soit ce berger qui nous a dit les paroles de l'herbe.

Quand il a eu fini de parler, le Sarde s'est approché vers lui, la main tendue. Ils se sont secoué la main deux ou trois fois et le Sarde a dit : « Bravo!... »

Ce berger est un aide du troupeau dont le Sarde est le baïle.

Après l'herbe est venue *la Pluie*. Celle-là nous a dit tout ce qu'elle savait de l'extérieur de l'homme :

Parce que je l'ai rencontré combien de fois!

Et parce qu'il n'y a pas un pli, pas une rainure de son corps que je n'aie baisés.

Il a :

La tête comme cette pierre qui fait du feu

et la force qui mamelonne sa poitrine et ses jambes et ses bras, elle vient du dedans de sa tête.

Et la femelle :

Il y en a de vives comme des petites souris.

et elles sont comme ce fruit du thym, cette petite étoile verte douce de miel mais d'une aigreté qui gonfle les langues.

Je cours sur elle comme sur des collines nues mais je ne vais jamais plus loin que son ventre parce que là est caché un feu plus chaud que le feu du soleil.

Celui qui nous dira l'intérieur de l'homme,

c'est le *Froid*. Voilà celui qui est entré, il est allé dans le dedans de l'homme, jusqu'à :

Cet endroit qui est la soudure entre la vie et la mort : à cet endroit de la soudure où il y a un bourrelet de chair comme pour ces vers de terre qu'on a coupés et qui se sont ressoudés.

Il a vu dans l'homme :

Des étoiles et des soleils, et de grandes étoiles filantes qui mettent le feu dans tous les coins et de belles étoiles du berger qui montent dans le calme de la paix.

Un vaste ciel tout bleu comme le ciel de la terre avec un soleil, et des orages, et de gros éclairs méchants.

Et des quantités d'étoiles qui s'en vont en des voyages, troupeau d'ici, troupeau de là, dans le grand trouble de la joie, quand il s'approche de sa femelle.

Le Froid a vu tout l'intérieur de l'homme comme un ciel plein de forces; *la Bête* qui vient après dira qu'il est :

comme un pot plein de miel et qui déborde, et qui nourrit de son débord toute une tribu de mouches.

Il est pour nous comme un bel arbre désiré après le grand trot dans le soleil.

Il est comme la pente de l'herbe pour les pieds de ceux qui ont monté.

Il est l'eau fraîche.

il est la source.

Il est la grande palme, le beau ruisseau, le frais des feuilles, le bel ensemble.

Elle parlera de cette séduction qui est dans les yeux de l'homme et elle dira à la terre le grand secret, le grand espoir des bêtes :

Sais-tu pourquoi, terre, nous avons peur?

Sais-tu pourquoi nous sommes farouches;

pourquoi nous écoutons le fil du vent et nous reniflons la poussière?

C'est parce que nous nous sentons emportés par toi dans le travers du ciel à une horrible vitesse.

Et, celui-là qui est venu,

nous avons lu dans ses yeux qu'il ne voyait pas ta vie à toi, terre.

Nous avons lu dans ses yeux la tranquillité et la paix, et c'est pour ça que nous l'aimons.

Alors, de là, le drame va faire les deux bonds qui vont le porter vers la fin.

D'abord, un long monologue du Sarde. Les neuf bergers qui ont été : *La Mer, La Montagne, Le Fleuve, L'Arbre, Le Vent, l'Herbe, la Pluie, le Froid, La Bête,* sont immobiles et muets; il se tiennent par la main et ils sont en fer à cheval autour du Sarde.

Celui-ci nous dit le fin mot de cette inquiétude de la terre et pourquoi elle a interrogé goulûment. Elle sait, elle connaît le danger qui la menace : si l'homme devient le chef des bêtes, elle, la terre, est perdue :

Je le vois, déjà, devant le grand troupeau.
Il marchera de son pas tranquille
et derrière lui, tous vous serez.
Alors, le maître ce sera lui.
Il commandera aux forêts.
Il vous fera camper sur les montagnes,
Il vous fera boire les fleuves.
Il fera s'avancer ou reculer la mer,
rien qu'en bougeant de haut en bas
le plat de sa main.

Un moment de silence, puis la terre se met à regarder :

Le grand reflet de toutes les images.

Et la voilà qui se rassure et prophétise à mesure qu'elle lit l'écriture cachée.

La grande barrière!

Elle sera toujours entre la bête et l'homme, cette haute barrière noire comme de la nuit, haute jusqu'au soleil.

Et toute la pitié pourra être entassée dans ta peau, tu ne pourras jamais la faire couler de toi et la faire boire aux bêtes.

Tu ne pourras jamais sauter la barrière et entrer de plain-pied dans la grande forêt des réflexions de la bête.

Tu ne regarderas pas les mêmes reflets.

Tu verras les arbres de l'autre côté, et eux, ils verront un autre côté des arbres.

Et tout ça, parce que je vais être dure avec toi, dure et méchante, et que je vais penser à ma méchanceté.

.. ..

Tu seras le chef de l'or et des pierres, mais sans comprendre les pierres, tu les massacreras avec ta truelle et ta pioche.

Et l'or, fait de lumière, tu le garderas dans la sombre puanteur de ta bouche.

.. ..

Tu te feras des aides avec du fer, des boulons et des charnières.

Mais, à toutes tes machines tu seras obligé de prêter ta tête et ton cœur et tu deviendras méchant comme le fer et les mâchoires de la charnière.

Alors, la terre se réjouit et se met à rire de tous ses volcans.

C'est à ce moment-là que le drame fait son deuxième bond et que le Sarde termine avec un simple geste. Il quitte son personnage terre, il redevient ce qu'il est : un homme. Plus : un berger. Plus : un chef de bêtes, un de ces chefs que la terre redoute. Et c'est la vérité.

Il fait trois pas, il se dégage de ce demicercle des éléments. Lentement, il s'agenouille; il se couche à plat ventre sur la terre; il embrasse la terre de ses bras écartés. On l'entend qui dit :

Terre!

Terre!

Nous sommes là, nous, les chefs de bêtes!

Nous sommes là, nous, les hommes premiers!

Il y en a qui ont conservé la pureté du cœur.

Nous sommes là.

Tu sens notre poids?

Tu sens que nous pesons plus que les autres?

Ils sont là, les hommes qui voient les deux côtés de l'arbre et l'intérieur de la pierre, ceux qui marchent dans la pensée de la bête comme dans les grands prés du Dévoluy dessus des herbes de famille.

Ils sont là, ceux qui ont sauté la barrière!

Il reste un petit moment sans rien dire pour attendre une réponse qui ne vient pas et il crie son grand cri de défi :

Tu entends, terre?

Nous sommes là, nous, les bergers!

Tous les instruments se taisent à la fois. Silence!

On entend crépiter les feux.

Et c'est fini.

JE n'ai plus parlé de la musique; elle n'a pas cessé un seul moment de faire partie du drame. Elle n'a pas cessé un seul moment d'être à côté du drame un autre drame plein de reflets, où des feuilles sont devenues des feuillages et l'image d'une colline le moutonnement marin de tout le pays collinier. Pendant la dernière scène, quand le récitant s'agenouille et se couche sur la terre, éclate le plus beau chant d'allégresse, la plus belle chanson du monde, la plus chargée en espérance, mais le travail que je m'étais imposé et qui était saisir le mot à mot, s'attacher au texte de toute mon attention empêchait cet abandon balancé qui seul me pouvait lancer à travers les images de cette musique. J'en ai pourtant encore quelques-unes sous les paupières; elles sont là, dures comme des grains de sable ou douces comme des larmes.

On délia la cavale. Déjà, les troupeaux s'en allaient; déjà, loin, là-haut, dans les passes de Sisteron, le flot des bêtes sonnait comme le roulement des grandes eaux.

Césaire s'en alla chercher de l'eau pour faire boire la jument; la petite sorcière se coucha au fond de la charrette; nous deux, Barberousse et moi, on resta là, sans volonté. meurtri et adouci de tous les côtés, baigné du bain de la vie comme ce dieu du début qui se lavait avec du ciel et on regardait s'allumer la tremblotante lanterne de l'aube.

Les joueurs de harpes éoliennes passèrent près de nous, retournant de leurs hauteurs; ils parlaient fort, avec des voix pleines de jeunes rires. Barberousse reconnut là-dedans la voix d'un ami et cria :

« Salut, Boromé!

— Et quel est celui-là? » dit Boromé, s'arrêtant de discuter.

Puis, il s'avança, reconnut Barberousse et

ils s'embrassèrent bonnement à pleine barbe. Malgré le rire, celui-là était aussi un vieux berger, et gris de poil, et tout creusé à pleine peau par les cicatrices du temps.

« Vous êtes les moins bien partagés », je lui dis.

Il me répondit :

« Et de quoi?

— De ce que vous êtes loin, là-haut, et que vous n'entendez pas les belles paroles, vous, les joueurs de harpes. »

Il me dit :

« Non, ne croyez pas ça. Le partage! Pour savoir celui qui a le plus, dans ce partage! Nous, on est seuls là-haut sur la colline, avec nos bruits. On dit ce qu'on veut dire, sans les mots.

« On regarde le ciel. Moi, tout à l'heure, j'ai vu, là-haut au milieu de la nuit, un grand serpent d'étoiles! Il suffit d'imaginer. »

APPENDICE

Traduction complète de la scène IV
du drame des Bergers

Il est venu le grand silence. Le récitant est sans paroles, là-bas, entre les feux. Il vient de dire les mots qui doivent faire naître l'homme. Le drame a besoin d'un homme avec ses terreurs, d'un de ceux d'avant les eaux, aux larges yeux tremblants comme des abeilles, à la bouche ouverte sur son extase, sa peur et sa bave. Et ça, c'est le hasard qui le donne. Il faut un berger lourd de cœur pour faire cet homme-là et il ne s'en trouve pas toujours, car, cette lourdeur de cœur (Barberousse me l'a expliqué), elle vient de la lie que les malheurs laissent dans l'homme. Beaucoup de malheurs, beaucoup de lie, et un cœur lourd.

Un grand silence. La cloche des béliers sonne; d'ici, de là. Un berger se dresse. Il ne s'avance pas dans l'aire du jeu; il reste au milieu de l'auditoire. Le récitant a entendu le bruit du berger qui s'est dressé; il se tourne de son côté. Il le salue en silence en levant sa main gauche. Le berger salue le récitant en levant aussi sa main gauche, puis, d'un mouvement d'épaules, il se dépouille de sa lourde limousine de bure.

L'Homme (Il crie lentement, d'une voix de tête). — *Seigneur, je suis nu, et tu as jeté à pleines mains les toisons et les feuillages.*

Seigneur, je suis nu, et tu as donné aux bêtes les griffes de tes mains et les ongles de tes pieds.

Seigneur, je suis nu, et tu m'as donné un pauvre cœur tout malade de vent comme la clochette des petites fleurs.

Le Récitant (qui a le rôle du monde. Il parle de sa voix grave et une sourde flûte à eau qui l'accompagne en abaisse encore le ton). — *Et l'homme sera sur moi comme la montagne d'entre les montagnes : il ruissellera de forêts, il marchera, vêtu de tout le poil des bêtes.*

Il sera le lion d'entre les lions : l'odeur de sa bouche épouvantera les agneaux et les faons, et jusqu'aux oiseaux du haut de l'air, ceux qui sont comme la clochette des petites fleurs.

Il sera le sommet d'entre les sommets : sa tête montera à la rencontre des étoiles et de son regard bleu il dénombrera les étoiles, comme des brebis dans l'enclos des pâtures.

L'HOMME. — *Seigneur, je suis nu, et ta pitié s'est penchée sur l'eau et non sur moi. Et tu as donné à l'eau, avec cette peau verte si belle, cette vêture des herbes et des arbres, et tu as dit à cette peau qu'elle ferait de l'écume, et ton soleil allume cette écume d'une plus haute joie que les plus larges fleurs.*

Seigneur, je suis nu, et ta pitié s'est penchée sur l'eau et non sur moi. Et tu as donné à l'eau un large corps qui bat les montagnes et les sables, une chair qui coule sous les griffes, une profondeur où dort le silence plus beau que la femme. Tu as fait de l'eau la jamais blessée, la toujours vivante, l'unique, l'éternelle, sans trépas ni douleur.

Seigneur, je suis nu, et ta pitié s'est penchée sur l'eau et non sur moi. Et tu as donné à l'eau la joie des colères, et tu lui as donné ce miel qui est une chanson, une course sous l'herbe. Ah! Seigneur, elles sont sous les osiers, et le balancement de la ronce, si belles, ces chansons, si pures, si justes, si rondes de la belle ligne qui ferme le monde qu'il ne me reste plus à moi que la liberté du gémissement.

LE RÉCITANT. — *Il marchera sur les eaux.*

Il aura les mers rondes écrasées sous la cambrure de ses pieds comme des fruits pourris.

Il s'en ira sur les eaux de son pas tranquille.

Il aura de larges épaules de bois et il dandinera ses épaules de bois en marchant sur les eaux.

Il se fera des ailes avec des herbes blanches, sa poitrine sera comme l'os bréchet d'un autour et il s'en ira sur les eaux à la rencontre de la morte pleine d'images.

L'HOMME. — *Seigneur, je suis nu, et tu m'as lié les poignets et les chevilles et tu m'as jeté sur la terre froide comme les chevreaux à l'abattoir.*

Seigneur, je suis nu, et tu m'as montré tes larges mains pleines de sel, et tu sifflais d'entre tes lèvres comme pour m'appeler, et je t'ai suivi jusqu'aux pierres à sel[1]*, parce que j'avais faim de cette bonne amertume.*

1. *Pierre d'assalier :* Dans les hautes pâtures, les bergers vont chercher des pierres plates et ils les alignent dans l'herbe. Ce sont les pierres à sel. Tous les soirs, les bergers versent sur le plat de ces pierres quatre ou cinq poignées de gros sel gris. C'est pour la brebis allaiteuse; c'est pour le jeune agneau tremblant; c'est pour le bon mouton froissé de froid ou celui qui s'est mis l'épine au pied; c'est une consolation et un remède; ça fait épaissir la graisse et ça accroche le cœur de la bête un peu plus solide. Qui peut savoir la douleur des moutons dans les hauts prés? Qui peut savoir? J'en ai vu qui, de leur front de pierre faisaient front à un terrible crépuscule lourd de désespoir. Oh! cette lumière, et cet air, et le sombre parfum de la terre humide d'herbe écrasée : tout cela enlevait bien l'espoir; tout ça enlevait bien l'espoir jusqu'au bout de l'éternité des temps. Et ils étaient là, et ils regardaient sans cligner de l'œil, et je voyais que la nuit montait dans ces têtes comme l'eau dans un vase à la fontaine. Et alors, au bout de ça, ils eurent un balancement de

Seigneur, je suis nu, et tu m'as repoussé à coups de pied dans le ventre, et je n'ai pas eu ma part de bonne amertume. Je n'ai pas eu ma part de sel pendant que le monde entier lapait autour des pierres d'assalier.

Le Récitant. — *Il y a autour de lui de bons arbres, et des herbes épaisses comme des nuages, et il vit dans un long matin. Les fleurs se répondent de coteau en coteau et il y a sur les collines des vols de pigeons comme des fumées de bois sec.*

Voilà autour de lui les fayards et les rouvres, et les pommiers, avec les pommes vertes comme les mondes.

Voilà le beau soleil tout perdu comme une eau, à se répandre sous ses pieds.

Homme, écoute cette grande chanson de

tête trop pleine et, lentement ils s'en allèrent vers les assaliers. Je les vis dans ce qui restait de jour boueux; je les vis avant de m'enfoncer moi-même dans une horreur désespérée; ils léchaient à grands coups de langue les restes de sel sur la pierre.

Ces assaliers sont alignés dans l'herbe. On les voit de loin. Un mouton qui voit l'assalier ne se perd pas; il retournera à la pâture comme tiré par une corde. Au temps où la montagne est déserte et les troupeaux descendus, on retrouve les assaliers solitaires; ils ont le poli des pierres adorées, toutes les arêtes ont été léchées, usées par les langues et les lèvres.

tout le créé, de tout le vivant, de tout ce qui t'entoure. Si tu marches, tout marche à côté de toi et ta route est suivie par des troupeaux de collines ondulant de l'échine, secouant leurs sources comme des clochettes, frottant l'épaisse laine de leurs bois entre tes pas. Si tu t'arrêtes, écoute le poisson qui saute dans le lac; écoute cette eau plate qui vient dans les osiers chanter à fleur de lèvres; écoute le beau vent couché dans les pommiers; écoute le beau vent cabré sous les pinèdes comme un cheval dans de l'avoine fraîche.

L'HOMME. — *Seigneur, seigneur, je suis lié comme les bêtes et tu as fait joindre mes coudes derrière mon dos, et mes talons sont attachés, et ma poitrine est offerte, et voilà mon cou tout offert, nu et chaud, avec sa pauvre vie qui monte et descend comme une petite souris folle.*

Seigneur, seigneur, je suis lié comme les bêtes, et j'attends ton couteau, et je ne peux regarder qu'un morceau du ciel, et ton couteau va venir peut-être de ce coin que je ne peux pas voir et qui est caché derrière la grosse étoile polie comme un front de bélier.

Seigneur, seigneur, je suis lié comme les bêtes et voilà mon cou tout offert.

LE RÉCITANT. — *Homme! Plus libre que la liberté des fumées, si seulement tu comprenais ta grande liberté!*

Oh! Affamé d'air, ô chercheur d'au-delà, qu'as-tu à regarder la grande face du fond du ciel, et elle est faite du jeu des nuages?

Tes pieds, tes mains, tes yeux, ta bouche, et tout le rond de tes cuisses, et tout le rond de tes bras, et le pointu de ton ventre, et le plat de ta main, voilà que tout cela est assiégé par le bonheur; voilà que le bonheur est là-dessus comme la mer océane sur son fond de montagne. Et tu te verrouilles comme l'argile et tu cherches le bonheur en toi.

Ouvre-toi!

Te voilà traversé par les soleils et les nuages; te voilà parcouru de vent. Ecoute le beau vent qui danse sur ton sang comme sur les lacs des montagnes; écoute s'il le fait sonner du beau son de la profondeur!

Te voilà hérissé de soleil, libre de marcher

dans les épines, et les épines cassent sous ton talon, et la tête bourdonne comme un nid de guêpes.

Te voilà tout léger de nuages, et tu fais des bonds dans le ciel, et tu sautes à travers les belles vagues du ciel comme un aigle.

Ouvre-toi!

Obéis à la loi des arbres et des bêtes. Durcis ton front; fais face avec un front de bélier. Le rond de ton bras, vois, il est juste à la mesure de ta femelle. Il passe dans ces deux belles vallées qu'elle a au-dessus des hanches. Il passe dans ces vallées de sa chair comme le torrent coule dans les replis de la montagne. Ta main est creuse à la juste rondeur de ses seins. Tu es comme la grande rive qui borde la mer, et la mer entoure tes promontoires et entre dans tes golfes, et la loi des mondes te soude à ta femelle comme elle a soudé la mer à son rivage.

Ouvre-toi!

Les prés les plus hauts entreront en toi avec les couleurs et les odeurs; avec la hampe des avoines, avec le balancement des fétuques chargés de graines, avec le lourd « oui » des gentianes qui disent « oui » tout le long du jour en remuant leurs grosses têtes jaunes de haut en bas dans le vent.

La source qui est là sous le châtaignier à trembler sous les feuilles mortes comme une petite bête sensible, sens! Elle vient de s'ouvrir au-dessus de ton cœur, dans ta chair, oui, dans ta chair chaude la source d'eau vient de s'ouvrir; elle coule sur ton cœur comme sur une pierre de la forêt, et chaque goutte est comme un coup sur un tambour, et tout sonne dans toi, et tout résonne dans toi depuis la petite corde qui fait bouger tes doigts jusqu'au gros nerf qui te donne la force de l'homme. Elle coule sur ton cœur comme sur une pierre de la forêt et elle va polir ton cœur dans la juste forme des cœurs, et c'est un fruit vivant que tu vas maintenant porter dans ta poitrine, et le jus de ce fruit viendra sur tes lèvres, et d'entre tes lèvres coulera une source où l'on viendra boire.

Ouvre-toi, ouvre-toi : le bonheur et la joie sont là qui veulent entrer.

Et chante la gloire d'être nu, chante l'orgueil d'être nu.

Bélier qui marches devant le grand troupeau!

Le berger qui a tenu le rôle de l'homme abaisse ses bras dans un grand geste découragé. Ceux qui sont autour de lui ramassent sa lourde limousine de bure, se dressent et le couvrent. Il se laisse faire. Il reste un moment immobile, là, debout, doublé d'épaisseur depuis qu'il est vêtu, gros comme un rocher. On ne voit que le rond blanc de son visage. Il se serre dans son manteau; il s'assoit; il redevient un homme d'entre les hommes.

TABLE

BRODARD ET TAUPIN — IMPRIMEUR - RELIEUR
Paris-Coulommiers. — France.
05-656-I-10-6062 - Dépôt légal nº 2504, 4e trimestre 1962
LE LIVRE DE POCHE - 4, rue de Galliéra, Paris.

LE LIVRE DE POCHE

FRANCIS AMBRIÈRE
693-694 Les Grandes Vacances.

JEAN ANOUILH
678 Le Voyageur sans bagages, *suivi de* Le Bal des voleurs.
748-749 La Sauvage *suivi de* L'Invitation au Château.
846 Le Rendez vous de Senlis *suivi* de Léocadia.

GUILLAUME APOLLINAIRE
771 Poèmes.

ARAGON
59-60 Les Cloches de Bâle.
133-134 Les Beaux Quartiers.
768-769-770 Les Voyageurs de l'Impériale.

GEORGES ARNAUD
73 Le Salaire de la Peur.

MARGUERITE AUDOUX
742 Marie-Claire.

MARCEL AYMÉ
108 La Jument verte.
180 La Tête des Autres.
218 Le Passe-Muraille.
306 Clérambard.
451 Lucienne et le Boucher.

HENRI BARBUSSE
591 L'Enfer.

RENÉ BARJAVEL
520 Ravage.

MAURICE BARRÈS
773 La Colline Inspirée.

VICKI BAUM
167 Lac-aux-Dames.
181-182 Grand Hôtel.
323-324 Sang et Volupté à Bali.

HERVÉ BAZIN
58 Vipère au Poing.
112 La Mort du petit Cheval.
201-202 La Tête contre les Murs.
329 Lève-toi et marche.
407 L'Huile sur le Feu.
599 Qui j'ose aimer.

SIMONE DE BEAUVOIR
793-794 L'Invitée.

PIERRE BENOIT
1 Kœnigsmark.
15 Mademoiselle de la Ferté.
82 La Châtelaine du Liban.
99 Le Lac salé.
117-118 Axelle *suivi de* Cavalier 6.
151 L'Atlantide.
174 Le Roi lépreux.
223-224 La Chaussée des Géants.
276 Alberte.
375 Pour Don Carlos.
408 Le Soleil de Minuit.
516-517 Erromango.
633 Le Déjeuner de Sousceyrac.
663 Le Puits de Jacob.

GEORGES BERNANOS
103 Journal d'un Curé de Campagne.
186 La Joie.
227 Sous le Soleil de Satan.
271 Un Crime.
318 L'Imposture.
561 Nouvelle histoire de Mouchette.
595 Monsieur Ouine.
819-820 Les Grands cimetières sous la lune.

GEORGES BLOND
799-800 Le Survivant du Pacifique.

ANTOINE BLONDIN

230 Les Enfants du Bon Dieu.
651 L'Humeur vagabonde.
774-775 L'Europe buissonnière.
813 Un Singe en hiver.

LÉON BLOY

817-818 Le Désespéré.

HENRI BOSCO

557-558 Le Mas Théotime.

PIERRE BOULLE

715 Le Pont de la Rivière Kwaï.

ELIZABETH BOWEN

80-81 Les Cœurs détruits.

LOUIS BROMFIELD

126-127 Emprise.
187-188 La Colline aux Cyprès.
245-246 Mrs. Parkington.
369-370 Colorado.
378-379 La Folie MacLeod.
540-41-42 La Mousson.
829-830 Précoce Automne.

EMILY BRONTË

105-106 Les Hauts de Hurle-Vent.

PEARL BUCK

242-243 Pivoine.
291-292 Pavillon de Femmes.
416 La Mère.
683-684 Un Cœur fier.

SAMUEL BUTLER

204-205 Ainsi va toute Chair.

JAMES CAIN

137 Le Facteur sonne toujours deux fois.

ERSKINE CALDWELL

66 Le Petit Arpent du Bon Dieu.
93 La Route au Tabac.

ALBERT CAMUS

132 La Peste.
406 L'Étranger.

FRANCIS CARCO

67 L'Homme traqué.
107 Brumes.
310 Jésus-La-Caille.
444 Rien qu'une Femme.
592 Les Innocents.
726 L'Homme de minuit.

L.-F. CÉLINE

147-148 Voyage au bout de la Nuit.
295-296 Mort à Crédit.
761-762 D'un Château l'autre.

BLAISE CENDRARS

275 Moravagine.
293 L'Or.
437-438 Bourlinguer.
535-536 L'Homme foudroyé.

GILBERT CESBRON

100 Notre Prison est un Royaume.
129 Les Saints vont en Enfer.

ANDRÉ CHAMSON

231 Les Hommes de la Route.

ALPHONSE DE CHATEAUBRIANT

269-270 La Brière.

GABRIEL CHEVALLIER

252-253 Clochemerle.
801-802 Sainte-Colline.

CARLO COCCIOLI

511-512 Le Ciel et la Terre.

JEAN COCTEAU

128 Les Parents terribles.
244 Thomas l'Imposteur.
399 Les Enfants terribles.
854 La Machine infernale.

COLETTE

11 L'Ingénue libertine.
89 Gigi.
96 La Chatte.
116 La Seconde.
123 Duo *suivi de* Le Toutounier.
193 Claudine à l'École.
213 Claudine à Paris.
219 Claudine en Ménage.
238 Claudine s'en va.
283 La Vagabonde.
307 Chéri.

341 La Retraite sentimentale.
373 Sido *suivi de* Les Vrilles de la Vigne.
630 Mitsou.
763 La Maison de Claudine.

JOSEPH CONRAD
256 Typhon.

M. CONSTANTIN-WEYER
371 Un Homme se penche sur son Passé.

A.-J. CRONIN
2 Les Clés du Royaume.
30 La Dame aux Œillets.
64 Sous le Regard des Étoiles.
95 Le Destin de Robert Shannon.
198 Les Années d'Illusion.
439 Le Jardinier espagnol.
549-50-51 Le Chapelier et son Château.
652-653 Les Vertes Années.

EUGÈNE DABIT
14 L'Hôtel du Nord.

ALPHONSE DAUDET
848 Les Lettres de mon Moulin.

DANIEL-ROPS
71-72 Mort où est ta Victoire?
165-166 L'Épée de Feu.

PIERRE DANINOS
154-155 Tout Sonia.
554 Les Carnets du Major Thomson.

DAPHNÉ DU MAURIER
23-24 Le Général du Roi.
77-78 L'Auberge de la Jamaïque.
364-365 Ma Cousine Rachel.
529-530 Rebecca.

ROLAND DORGELÈS
92 Le Cabaret de la Belle Femme.
189-190 Les Croix de Bois.
507 Le Château des Brouillards.

JOHN DOS PASSOS
740-741 Manhattan Transfer.

DRIEU LA ROCHELLE
831-832 Gilles.

MAURICE DRUON
75-76 Les Grandes Familles.
614-615 La Chute des Corps.

GEORGES DUHAMEL
731 Le Notaire du Havre.

ALEXANDRE DUMAS Fils
125 La Dame aux Camélias.

JEAN DUTOURD
195-196 Au Bon Beurre.

WILLIAM FAULKNER
362-363 Sanctuaire.
501-502 Le Bruit et la Fureur.
753-54-55 Lumière d'août.

GEORGES FEYDEAU
581-582 Occupe-toi d'Amélie *suivi de* La Dame de chez Maxim.

EDNA FERBER
304-305 Saratoga.

FERNAND FLEURET
576 Histoire de la Bienheureuse Raton, fille de joie.

YOLANDE FOLDÈS
254-255 La Rue du Chat-qui-pêche.

ANATOLE FRANCE
481 La Rôtisserie de la Reine Pédauque.
833 Les Dieux ont soif.

ANNE FRANK
287 Journal.

LÉON FRAPIÉ
490 La Maternelle.

PIERRE GASCAR
212 Les Bêtes *suivi de* Le Temps des Morts.

MAURICE GENEVOIX
692 Raboliot.

J. K. HUYSMANS
725 Là-Bas.

PANAÏT ISTRATI
419 Kyra Kyralina.

ALFRED JARRY
838-839 Tout Ubu.

FRANZ KAFKA
322 La Métamorphose.

NIKOS KAZANTZAKI
335-336 Alexis Zorba.
491-492 Le Christ recrucifié.

MARGARET KENNEDY
5 La Nymphe au Cœur fidèle.
109-110 L'Idiot de la Famille.
135-136 Solitude en Commun.
206-207 La Fête.

JOSEPH KESSEL
83 L'Équipage.

RUDYARD KIPLING
313 Capitaines courageux.
344 La Lumière qui s'éteint.
723-724 Kim.
750 Stalky et Cie.

JOHN KNITTEL
84-85 Thérèse Étienne.
169-170 Amédée.
331-332 Via Mala.
417-418 Le Docteur Ibrahim.
539 Le Basalte bleu.

ARTHUR KŒSTLER
35 Le Zéro et l'Infini.
194 Croisade sans Croix.
383 Un Testament Espagnol.
467-468 La Tour d'Ezra.

ARMAND LANOUX
479-480 Le Commandant Watrin.

VALÉRY LARBAUD
527 Fermina Marquez.

JEAN DE LA VARENDE
41 Nez de Cuir.
265 Les Manants du Roi.

D. H. LAWRENCE
62-63 L'Amant de Lady Chatterley.
273-274 Le Serpent à Plumes.

ROSAMOND LEHMANN
8 L'Invitation à la Valse.
101-102 La Ballade et la Source.
149-150 Poussière.
199-200 Intempéries.
281-282 Le Jour enseveli.

GASTON LEROUX
509-510 Le Fantôme de l'Opéra.

SINCLAIR LEWIS
258-259 Babbitt.

RICHARD LLEWELLYN
232-233 Qu'elle était verte ma Vallée.

ANITA LOOS
54 Les Hommes préfèrent les Blondes.

PIERRE LOÜYS
124 Les Aventures du Roi Pausole.
398 La Femme et le Pantin.
649 Aphrodite.
803 Les Chansons de Bilitis.

BETTY MAC DONALD
94 L'Œuf et moi.

HORACE MAC COY
489 On achève bien les Chevaux.

PIERRE MAC ORLAN
115 Le Quai des Brumes.
321 La Bandera.
415 Marguerite de la Nuit.
733 Le Chant de l'Équipage.

NORMAN MAILER
814-15-16 Les Nus et les morts.

MALAPARTE
19-20 Kaputt.
495-496 La Peau.

ANDRÉ MALRAUX
27 La Condition humaine.
61 Les Conquérants.
86 La Voie royale.
162-163 L'Espoir.

THOMAS MANN
570-571 La Montagne magique t 1.
572-573 La Montagne magique t 2.

KATHERINE MANSFIELD
168 La Garden-Party.

FÉLICIEN MARCEAU
284 Les Élans du Cœur.

ROBERT MARGERIT
524 Le Dieu nu.

JEAN MARTET
88 Le Récif de Corail.
111 Marion des Neiges.

ROGER MARTIN DU GARD
422-423 Les Thibault *tome* 1.
433-434 Les Thibault *tome* 2.
442-443 Les Thibault *tome* 3.
463-464 Les Thibault *tome* 4.
476-477 Les Thibault *tome* 5.

SOMERSET MAUGHAM
17-18 Le Fil du Rasoir.
424 Archipel aux Sirènes.
521 Le Sortilège malais.
560 Amours singulières.
596-97-98 Servitude humaine.
730 La Passe dangereuse.
778 Mr. Ashenden, agent secret.

GUY DE MAUPASSANT
478 Une Vie.
583 Mademoiselle Fifi.
619-620 Bel Ami.
650 Boule de Suif.
760 La Maison Tellier.
840 Le Horla.

FRANÇOIS MAURIAC
138 Thérèse Desqueyroux.
251 Le Nœud de Vipères.
359 Le Mystère Frontenac.
580 Les Anges noirs.
691 Le Désert de l'amour.
796 La Fin de la Nuit.

ANDRÉ MAUROIS
90-91 Les Silences du Colonel Bramble *suivis des* Discours *et des* Nouveaux Discours du Docteur O'Grady.
142 Climats.
482-483 Le Cercle de Famille.
810 Ni Ange, ni bête.

ROBERT MERLE
250 Week-end à Zuydcoote.
688-689 La Mort est mon métier.

ARTHUR MILLER
700-701 Les Sorcières de Salem, *suivi de* Vu du Pont.

MARGARET MITCHELL
670-71-72 Autant en emporte le vent, *tome* 1.
673-74-75 Autant en emporte le vent, *tome* 2.

THYDE MONNIER
143-144 Fleuve.

NICHOLAS MONSARRAT
302-303 La Mer cruelle.

H. DE MONTHERLANT
43 Les Jeunes filles.
47 Pitié pour les Femmes.
48 Le Démon du Bien.
49 Les Lépreuses.
268 Les Bestiaires.
289 La Reine morte.
397 Les Célibataires.
553 Port-Royal.

ALBERTO MORAVIA
795 La Désobéissance.

CHARLES MORGAN
225-226 Fontaine.
311-312 Sparkenbroke.
470 Le Fleuve étincelant.

NICOLE
827 Les Lions sont lâchés.

ROGER NIMIER
413-414 Le Hussard bleu.

O'FLAHERTY
506 Le Mouchard.

MARCEL PAGNOL
22 Marius.
74 Fanny.
161 César.
294 Topaze.
436 La Femme du Boulanger.

ALAN PATON
216-217 Pleure, ô Pays bien aimé.

ÉDOUARD PEISSON
257 Hans le Marin.
518-519 Le Sel de la Mer.
855 Parti de Liverpool...

JACQUES PERRET
308-309 Le Caporal épinglé.
853 Bande à part.

JOSEPH PEYRÉ
280 Matterhorn.
533-534 Sang et Lumières.
610 L'Escadron blanc.

JACQUES PRÉVERT
239 Paroles.
515 Spectacle.
847 La Pluie et le beau temps.

MARCEL PROUST
79 Un Amour de Swann.

OLIVE PROUTY
260-261 Stella Dallas.

HENRI QUEFFELEC
656 Un Recteur de l'île de Sein.

RAYMOND QUENEAU
120 Pierrot mon Ami.

RAYMOND RADIGUET
119 Le Diable au Corps.
435 Le Bal du Comte d'Orgel.

M. K. RAWLINGS
139-140 Jody et le Faon.

E. M. REMARQUE
197 A l'Ouest rien de nouveau.

ROMAIN ROLLAND
42 Colas Breugnon.
734-735 Jean Christophe, tome I.
779-780 Jean Christophe, tome II.
806-807 Jean-Christophe, tome III.

MAZO DE LA ROCHE
12-13 Jalna.
52-53 Les Whiteoaks de Jalna.
121-122 Finch Whiteoak.
297-298 Le Maître de Jalna.
409-410 La Moisson de Jalna.
745-746 Jeunesse de Renny.
856-857 Le Destin de Wakefield.

CHRISTIANE ROCHEFORT
559 Le Repos du Guerrier.

JULES ROMAINS
279 Les Copains.
345 Knock.

ANDRÉ ROUSSIN
141 La Petite Hutte *suivi de* Lorsque l'Enfant paraît...
334 Bobosse *suivi de* Les Œufs de l'Autruche.

FRANÇOISE SAGAN
772 Bonjour Tristesse.

A. DE SAINT-EXUPÉRY
3 Vol de Nuit.
21 Pilote de Guerre.
68 Terre des Hommes.
177 Courrier Sud.

CECIL SAINT-LAURENT
156-157 Caroline chérie, *tome* 1.
158-159 Caroline chérie, *tome* 2.

M. de SAINT PIERRE
171 La Mer à boire.
299-300 Les Aristocrates.
528 Les Écrivains.
586 Les Murmures de Satan.

ARMAND SALACROU
593-594 Histoire de rire *suivi de* La Terre est ronde.

JEAN-PAUL SARTRE
10 Les Mains sales.
33 Le Mur.
55 La P... Respectueuse *suivi de* Morts sans Sépulture.
160 La Nausée.
367 Le Diable et le Bon Dieu.
522-523 L'Age de Raison.
654-655 Le Sursis.
821-822 La Mort dans l'Ame.

NEVIL SHUTE
686-687 Le Testament.

BETTY SMITH
452-53-54 Le Lys de Brooklyn.

JOHN STEINBECK
26 Des Souris et des Hommes.
44-45 Les Raisins de la Colère.
262-263 En un Combat douteux.

HAN SUYIN
314-315 Multiple Splendeur.
844-845 Destination Tchoungking.

ELSA TRIOLET
698-699 Le Cheval Blanc.

HENRI TROYAT
325 La Tête sur les Épaules.

426 Le Vivier.
618 Faux-jour.
808 L'Araigne.

T'SERSTEVENS
616 L'Or du Cristobal.

ROGER VAILLAND
459 Les Mauvais Coups.
600-601 La Loi.
640-641 Drôle de Jeu.

ROGER VERCEL
9 Capitaine Conan.
36 Remorques.
290 Au large de l'Eden.
704 Jean Villemeur.

VERCORS
25 Le Silence de la Mer.
210-211 Les Animaux dénaturés *suivi de* La Marche à l'Étoile.

PIERRE VERY
567-568 Un Grand Patron.

PAUL VIALAR
266-267 La Grande Meute.

ALBERT VIDALIE
411 Les Bijoutiers du Clair de Lune.
732 La Bonne Ferte.

JAKOB WASSERMANN
240-241 L'Affaire Maurizius.

MARY WEBB
65 Sarn.

H. G. WELLS
709 L'Homme invisible.
776-777 La Machine à explorer le temps, *suivi de* L'Ile du Docteur Moreau.

FRANZ WERFEL
39-40 Le Chant de Bernadette.

OSCAR WILDE
569 Le Portrait de Dorian Gray.

KATHLEEN WINSOR
4 Ambre.

VIRGINIA WOOLF
176 Mrs. Dalloway.

HERMAN WOUK
720-21-22 Ouragan sur D. M. S. « Caine ».

RICHARD WRIGHT
130-131 Un Enfant du Pays.
264 Les Enfants de l'Oncle Tom *suivi de* Là-bas près de la Rivière.
811-812 Black-Boy.

MARGUERITE YOURCENAR
221-222 Mémoires d'Hadrien.

ÉMILE ZOLA
7 La Bête humaine.
34 Thérèse Raquin.
50-51 Nana.
69-70 La Faute de l'Abbé Mouret.
87 Le Rêve.
97-98 L'Assommoir.
145-146 Germinal.
178-179 La Terre.
228-229 Au Bonheur des Dames.
247-248 Pot-Bouille.
277-278 Le Ventre de Paris.
316-317 La Débâcle.
349-350 La Curée.
384-385 La Conquête de Plassans.
429-430 L'Œuvre.
531-532 La Fortune des Rougon.
584-585 L'Argent.
681-682 Une Page d'amour.
797-798 La Joie de vivre.

STEFAN ZWEIG
609 La Confusion des Sentiments.
716-717 La Pitié dangereuse.

VOLUMES PARUS ET A PARAITRE DANS LE 2e SEMESTRE 1962

JACQUES AUDIBERTI
Le Mal Court. L'effet Glapion.

PIERRE BENOIT
Le Désert de Gobi.

PEARL BUCK
Vent d'Est, Vent d'Ouest.

ANDRÉ CHAMSON
La Neige et la Fleur (*).

A. DE CHATEAUBRIANT
Monsieur des Lourdines.

CARLO COCCIOLI
Le Caillou Blanc (*).

A. J. CRONIN
L'Épée de Justice (*).

ALPHONSE DAUDET
Le Petit Chose.

LUC DIETRICH
Le Bonheur des Tristes.

GEORGES DUHAMEL
Le jardin des Bêtes Sauvages.

JEAN DUTOURD
Les Taxis de la Marne.

MAURICE DRUON
Le Rendez-Vous aux Enfers (*).

F. SCOTT FITZGERALD
Gatsby le Magnifique.

ROMAIN GARY
Éducation Européenne

JEAN GIONO
Le Serpent d'Etoiles.

GRAHAM GREENE
Le Ministère de la Peur.

PHILIPPE HERIAT
Les Grilles d'Or (*).

JEAN HOUGRON
Les Asiates (**).

HENRY JAMES
Washington Square.

PÄR LAGERKVIST
Barabbas.

JEAN DE LA VARENDE
Le Centaure de Dieu (*).

ALISTAIR MAC LEAN
Les Canons de Navarone (*).

PIERRE MAC ORLAN
A Bord de l'Étoile Matutine.

SOMERSET MAUGHAM
La Lune et 75 Centimes.

OLIVIA
Olivia.

JOSEPH PEYRÉ
Croix du Sud.

JULES RENARD
L'Écornifleur.

EDMOND ROSTAND
Cyrano de Bergerac.

FRANÇOISE SAGAN
Un Certain Sourire.

P. J. TOULET
Mon Amie Nane.

MAXENCE VAN DER MEERSCH
La Maison dans la Dune.

H.-G. WELLS
La Guerre des Mondes.

ÉMILE ZOLA
Son Excellence Eugène Rougon (*).

Volume double (*).
Volume triple (**).

LE LIVRE DE POCHE
CLASSIQUE

H. DE BALZAC
356 La Duchesse de Langeais, *suivi de* La Fille aux yeux d'or.
543-544 La Rabouilleuse.
611 Une Ténébreuse affaire.
705-706 Les Chouans.
757-758 Le Père Goriot.
862-63-64 Illusions perdues.

BARBEY D'AUREVILLY
622-623 Les Diaboliques.

BAUDELAIRE
677 Les Fleurs du mal.

BRANTOME
804-805 Les Dames Galantes.

CERVANTES
431-432 Nouvelles Exemplaires.

CHODERLOS DE LACLOS
354-355 Les Liaisons dangereuses.

B. CONSTANT
360 Adolphe *suivi de* Cécile.

CHARLES DICKENS
420-421 De Grandes Espérances.

DIDEROT
403 Jacques le Fataliste.

DOSTOIEVSKI
353 L'Éternel Mari.
388 Le Joueur.
695-96-97 Les Possédés.
825-826 Les Frères Karamazov, *tome I.*
836-837 Les Frères Karamazov, *tome II.*

ALEXANDRE DUMAS
667-68-69 Les Trois Mousquetaires.
736-737 Vingt Ans après *tome I.*
738-739 Vingt Ans après *tome II.*
781-82-83 Le Vicomte de Bragelonne *tome I.*
784-85-86 Le Vicomte de Bragelonne *tome II.*
787-88-89 Le Vicomte de Bragelonne *tome III.*
790-91-92 Le Vicomte de Bragelonne *tome* IV.

FLAUBERT
440-441 Bouvard et Pécuchet.
713-714 Madame Bovary.

TH. GAUTIER
707-708 Le Capitaine Fracasse.

GOBINEAU
469 Adélaïde *suivi de* Mademoiselle Irnois.
555-556 Les Pléiades.

GOETHE
412 Les Souffrances du jeune Werther.

GOGOL
472-473 Les Ames mortes.

HOMÈRE
602-603 Odyssée.

MADAME DE LA FAYETTE
374 La Princesse de Clèves.

G. DE NERVAL
690 Les Filles du feu *suivi de* Aurelia.

PASCAL
823-824 Pensées.

PÉTRONE
589 Le Satiricon.

POE
484 Aventures d'Arthur Gordon Pym.
604-605 Histoires extraordinaires.

POUCHKINE
577 La Dame de Pique.

PRÉVOST (L'Abbé)
460 Manon Lescaut.

RIMBAUD
498 Poèmes.

SHAKESPEARE
485-486 Trois Comédies.

STENDHAL
357-358 Le Rouge et le Noir.
562-63-64 Lucien Leuwen.
766-767 Lamiel *suivi de* Armance.
851-852 La Chartreuse de Parme.

STEVENSON
756 L'Ile au Trésor.

SUÉTONE
718-719 Vies des Douze Césars.

SWIFT
471 Instructions aux Domestiques.

TOLSTOI
366 La Sonate à Kreutzer *suivi de* La Mort d'Ivan Ilitch.
636-637 Anna Karenine *tome I.*
638-639 Anna Karenine *tome II.*
727 Enfance et adolescence.

TOURGUENIEV
497 Premier Amour.

VERLAINE
747 Poèmes saturniens *suivi de* Fêtes galantes.

VOLTAIRE
657-658 Romans.

VOLUMES PARUS ET PARAITRE DANS LE 2e SEMESTRE 1962

CERVANTES
Don Quichotte *tome I* (*).
Don Quichotte *tome II* (*).

ALEXANDRE DUMAS
La Reine Margot (**).
La Dame de Monsoreau *tome I* (*).
La Dame de Monsoreau *tome II* (*).
Les Quarante-cinq *tome I* (*).
Les Quarante-cinq *tome II* (*).

MACHIAVEL
Le Prince.

LE LIVRE DE POCHE ENCYCLOPÉDIQUE

E. BOUCÉ
376-377 Dictionnaire Anglais-Français; Français-Anglais.

DALE CARNEGIE
508 Comment se faire des amis.

ALEXIS CARREL
445-446 L'homme, cet inconnu.

MICHEL DUBORGEL
449-500 La pêche et les poissons de rivière.

J.-M. DUVERNAY et A. PERRICHON
646-47-48 Fleurs, fruits, légumes.

J. R. KINNEY et A. HONEYCUTT
348 Votre chien.

*** * ***
395-396 Larousse de poche.

JOSETTE LYON
Beauté-service (volume double).

ANDRÉ MAUROIS
628-629 Les Trois Dumas.

GINETTE MATHIOT
351-352 La cuisine pour tous.

JÉROME NADAUD
La chasse et le gibier de nos régions (*).

HENRI PERRUCHOT
457-458 La vie de Van Gogh.
487-488 La vie de Cézanne.
565-566 La vie de Toulouse-Lautrec.

G. POMERAND
751-752 Le Petit Philosophe de Poche.

Professeur JOSEF RANALD
Les mains parlent.

PIERRE ROUSSEAU
644-645 L'Astronomie.

ROSE VINCENT ET ROGER MUCCHIELLI
522 Comment connaître votre enfant.

ÉMILE VUILLERMOZ
393-394 Histoire de la musique.

LE LIVRE DE POCHE
HISTORIQUE

JACQUES BAINVILLE
427-428 Napoléon.
513-514 Histoire de France.

MARIA BELLONCI
679-680 Lucrèce Borgia.

LOUIS BERTRAND
Louis XIV.

DANIEL-ROPS
606-07-08 L'église des Apôtres et des Martyrs (**).
624-625 Histoire sainte.
626-627 Jésus en son temps.

PHILIPPE ERLANGER
342-343 Diane de Poitiers.

GÉNÉRAL DE GAULLE
Mémoires de Guerre.
389-390 L'Appel (1940-1942) *tome* I.
391-392 L'Unité (1942-1944) *tome* II.
612-613 Le Salut (1944-1946) *tome* III.

PIERRE GAXOTTE
461-462 La Révolution française.
702-703 Le Siècle de Louis XV.

RENÉ GROUSSET
L'Épopée des croisades.

ANDRÉ MAUROIS
455-456 Histoire d'Angleterre.

RÉGINE PERNOUD
Vie et mort de Jeanne d'Arc.

O. DE WERTHEIMER
Cléopâtre.

STEFAN ZWEIG
337-338 Marie Stuart.
386-387 Marie-Antoinette.
525-526 Fouché.

(**) : Volume triple.
Tous les autres ouvrages sont doubles.

A PARAITRE DANS LE 3e TRIMESTRE 1962

BENOIST-MECHIN
890-891 Ibn-Séoud.

LE LIVRE DE POCHE
POLICIER

AGATHA CHRISTIE
617 Le Meurtre de Roger Ackroyd.

ÉMILE GABORIAU
711-712 L'Affaire Lerouge.

P. HIGHSMITH
849-850 L'Inconnu du Nord-Express.

FRANCIS ILES
676 Préméditation.

M. LEBLANC.
843 Arsène Lupin, gentleman-cambrioleur.

GASTON LEROUX
547-548 Le Mystère de la Chambre Jaune.
587-588 Le Parfum de la Dame en Noir.
858-859 Rouletabille chez le Tsar.

VOLUMES A PARAITRE DANS LE 2e SEMESTRE 1962

CONAN DOYLE
885-886 Etude en rouge *suivi de* Le Signe des quatre.

DICKSON CARR
930 La Chambre ardente.

SIMENON
869 Le Chien jaune.

LE LIVRE DE POCHE
EXPLORATION

GEORGES BLOND
545-546 La Grande Aventure des Baleines.

ALAIN BOMBARD
368 Naufragé volontaire.

J.-Y. COUSTEAU-F. DUMAS
404-405 Le Monde du Silence.

ALAIN GHEERBRANT
339-340 L'Expédition Orenoque-Amazone.

THOR HEYERDAHL
319-320 L'Expédition du « Kon-Tiki ».

JOHN HUNT
447-448 Victoire sur l'Everest.

HENRY DE MONFREID
474-475 Les Secrets de la Mer Rouge.
834-835 La Croisière du Hachich.

T'SERSTEVENS
642-643 Le Livre de Marco Polo.

PAUL-ÉMILE VICTOR
659-660 Boréal.